Amberg – Kleine Stadt

Johannes Laschinger

Amberg
Kleine Stadtgeschichte

VERLAG FRIEDRICH PUSTET
REGENSBURG

UMSCHLAGMOTIV
Vorderseite: Marktplatz und Rathaus. – Das Ölgemälde des Amberger Malers
Franz Seraph Stigler aus dem Jahr 1901 hängt im Stadtmuseum Amberg.
Rückseite: Amberg aus der Vogelperspektive (Franz X. Bogner)

Dieses Buch entstand mit freundlicher Unterstützung
durch das Kulturreferat der Stadt Amberg

**BIBLIOGRAFISCHE INFORMATION DER
DEUTSCHEN NATIONALBIBLIOTHEK**
Die Deutsche Nationalbibliothek verzeichnet diese Publikation
in der Deutschen Nationalbibliografie; detaillierte bibliografische
Angaben sind im Internet über http://dnb.d-nb.de abrufbar.

ISBN 978-3-7917-2652-6
© 2015 by Verlag Friedrich Pustet, Regensburg
Reihen-/Umschlaggestaltung und Layout: Martin Veicht, Regensburg
Satz: Vollnhals Fotosatz, Neustadt a. d. Donau
Druck und Bindung: Friedrich Pustet, Regensburg
Printed in Germany 2015

Diese Publikation ist auch als eBook erhältlich:
eISBN 978-3-7917-6052-0 (epub)

Weitere Publikationen aus unserem Programm
finden Sie auf www.verlag-pustet.de
Kontakt und Bestellungen unter verlag@pustet.de

Inhalt

Vorwort 7

Ambergs Vor- und Frühgeschichte 9

Vom bambergischen Dorf zur bayerischen Stadt:
Amberg im Hochmittelalter 12
1034: Erstnennung Ammenbergs / Ambergs Pfarrkirche:
St. Georg / Der befestigte Markt der Amberger Kaufleute / Die
Stadtwerdung / Markgraf Berthold IV. von Hohenburg / Amberg und
Ludwig IV. der Bayer / Das älteste Stadtsiegel

Die kurpfälzische Stadt: Amberg von 1329 bis 1621 21
Entwicklung der städtischen Selbstverwaltung / Das Stadtwappen auf
dem zweiten Stadtsiegel / Gesellschaftlicher Kosmos / Die Amberger
Juden / Städtische Bauten / Eisenstadt: Ambergs Wirtschaft / Die
»Große Hammereinung« von 1387 / Die Vilsschifffahrt / Unter den Kur-
fürsten von der Pfalz / Bistum Amberg / Der »Amberger Aufruhr« von
1453/54 / Die »Amberger Hochzeit« von 1474 / Das große Hauptschießen von
1596 / Glaube und Kirchen / Das evangelische Amberg / Leonhard
Müntzer / Das »Amberger Lärmen« von 1592/97 / Friedrich V. und das
Ende der pfälzischen Herrschaft / Schlacht am Weißen Berg

Die kurbayerische Stadt: Amberg von 1623 bis 1805 66
Herrschaftsübergang und Rekatholisierung / Stadtregiment und
Konfessionalisierung / Die katholische Reform: Jesuiten und
Franziskaner / Die wirtschaftliche Lage / Die Weißbräugesellschaft /
Oberpfälzer Barockhauptstadt / Cosmas Damian Asam / Im Spani-
schen Erbfolgekrieg / Der »Amberger Knödel« / Garnisonsstadt Am-
berg / Im Österreichischen Erbfolgekrieg / Vom Barock zum
Rokoko / Höfischer Glanz − Franz Ludwig Graf von Holnstein / Die
Schlacht bei Amberg 1796 / Amberg und die Aufklärung / Felix
Freiherr von Löwenthal und seine Chronik / Säkularisation der Klöster /
Ende der Residenzstadt Amberg

Die königliche Stadt: Amberg von 1806 bis 1918 95
Feiern bei der Erhebung Bayerns zum Königreich / Napoleoni-
sche Kriege / Verlust der Regierung an Regensburg / Entwicklung der Gemeindeverfassung / Religiöse Toleranz / Amberger
Eh'häusl / König Ludwig I. und die Neuansiedlung von Ordens-

gemeinschaften / Marienkrankenhaus / Die Revolution von 1848 und ihre Folgen / *Das Amberger Schwurgericht* / Katholikentag von 1884 / Hinauswachsen über die alten Mauern / Wirtschaftliche Entwicklung / *Gewehrfabrik Amberg* / Anbindung an das Bahnnetz / Energieversorgung / *Emailfabrik Gebr. Baumann* / Bürgerliche Vereinskultur / *Carl Sedlmayer – Gründungsvater der »Münchener Löwen« und des TV 1861 Amberg* / Die Bierstadt Amberg / *Bruder Barnabas und der Salvator* / Im Ersten Weltkrieg / *Josef Friedrich Schmidt und sein »Mensch ärgere Dich nicht«*

Verwerfungen: Amberg in der ersten Hälfte des 20. Jahrhunderts 126
Die Revolution von 1918/19 / In der Weimarer Republik / *Amberger Notgeld* / *»Graf Zeppelin über Amberg«* / Amberg in der NS-Zeit / *Die Wagrainsiedlung* / *Festspiel »Amberger Blut«*

Neuanfang nach 1945: Amberg in der Bundesrepublik 140
Politischer Neuanfang / Integration von Flüchtlingen und Vertriebenen / Wohnungsbau / Bergsteig / Wirtschaftlicher Neuanfang / *Der Gropiusbau des Thomasglaswerks* / Ende des Amberger Bergbaus / Handel, Gewerbe, Dienstleistung und Industrie / Leben in der Stadt / Eingriffe in die städtische Bausubstanz / Schul- und Behördenstadt

Aufbruch in die Moderne: Amberg im 21. Jahrhundert 158

Anhang 160
Zeittafel / Bürgermeister und (seit 1924) Oberbürgermeister / Quellen und Literatur / Ortsregister (Amberg) / Ortsregister (allgemein) / Personenregister / Bildnachweis

Vorwort

Amberg, die einstige Hauptstadt der Oberpfalz, entstand als Siedlung von Handel treibenden Kaufleuten. Im Hochmittelalter war die Stadt ein wichtiger Brückenkopf des Hochstifts Bamberg. Ihr Aufstieg begann mit der Förderung durch Herzog, König und Kaiser Ludwig den Bayern. Entscheidend für ihre weitere Entwicklung war aber der Umstand, dass Amberg zur Regierungs- und Residenzstadt der Pfälzischen Wittelsbacher in ihrem Territorium der »heroberen Pfalz in Bayern«, der nachmaligen Oberpfalz, wurde. Dies schlug sich bis heute sichtbar in einer ganzen Reihe von landesherrlichen Bauten nieder: »Eichenforst« und »Klösterl«, aber auch die Regierungskanzlei prägen das Erscheinungsbild Ambergs ebenso unnachahmlich wie die von der Bürgerschaft errichtete Stadt, ihre Befestigung oder das Rathaus. Prägenden Anteil am Erscheinungsbild haben aber auch die Kirchen, allen voran die Hallenkirche St. Martin mit ihrem die Stadt weit überragenden Turm, aber auch St. Georg und die Wallfahrtskirche auf dem Mariahilfberg.

Die wirtschaftliche Basis der aufstrebenden Stadt bildete seit dem Spätmittelalter die Förderung von Eisenerzen auf dem Erzberg sowie deren Verhüttung in Schienhämmern außerhalb der Stadt. Hinzu kam der Handel mit Eisenprodukten, überwiegend mittels der Vilsschifffahrt. Freilich erlebte die Bürgerschaft der Stadt nicht nur Höhen; sie hatte ebenso unter Kriegen, Nöten und Epidemien zu leiden.

Das Verhältnis zwischen der Stadt und ihrem Landesherrn war grundsätzlich nicht schlecht. Zu Auseinandersetzungen kam es allerdings im konfessionellen Zeitalter. Dabei ging es allerdings nicht nur um Fragen des Glaubens: Es trafen auch das große Selbstbewusstsein der Stadt und das frühabsolutistische Herrschaftsverständnis des Fürsten aufeinander. Die konfessionellen Spannungen endeten, als Amberg bayerisch und katholisch wurde.

Eine Zäsur für die Stadt bedeutete freilich der Verlust der Regierung an Regensburg. Im Zeitalter der Industrialisierung trug die Emaillefabrik der Gebrüder Baumann den Namen Ambergs in die Welt hinaus. Im Zweiten Weltkrieg blieb die historische Altstadt von Zerstörungen verschont, und nach dem weitgehenden Abschluss der Altstadtsanierung ist heute die Schönheit und Bedeutung der alten Metropole der Oberpfalz für jeden wieder sichtbar.

Die reiche und vielfältige Geschichte Ambergs ist nun zum Buch geworden. Wenngleich der vorgegebene Umfang hierbei zur Beschränkung auf das Wesentliche zwingt, soll der Leser die politische, wirtschaftliche und soziale Entwicklung der Stadt und ihrer Bewohner nachvollziehen können; dabei wurden auch wichtige kulturelle Aspekte nicht ausgespart.

Wer sich nur ganz kurz über Ambergs Geschichte informieren möchte, sei auf die Zeittafel verwiesen, wer das eine oder andere vertiefen möchte, auf die Literaturhinweise sowie auf die Auflistung verschiedener relevanter Internetseiten.

Ambergs Vor- und Frühgeschichte

Ambergs Vor- und Frühgeschichte liegt weitgehend im Dunkeln und wird nur gelegentlich durch einzelne Funde erhellt. Die Beschäftigung mit ihr ist untrennbar mit dem Namen Anton Dollackers verbunden, der sich nach seiner frühzeitigen Pensionierung der Erforschung der Amberger Geschichte widmete. Sein Interesse galt dabei nicht nur der schriftlichen Überlieferung in den örtlichen Archiven, sondern ebenso archäologischen Funden. Dabei brachte er bis 1915 so viele einzelne Fundstücke zusammen, dass sich ihre Bearbeitung durch Dr. Paul Reinecke, seit 1908 Hauptkonservator am Generalkonservatorium der Kunstdenkmale und Altertümer Bayerns, lohnte. Anschließend kamen sie in eine kleine vor- und frühgeschichtliche Abteilung des Museums.

Neben einer Reihe von Einzelfunden stehen zwei im Mittelpunkt des Interesses. So stieß man 1905 in der Herrnstraße auf ein Hügelgrab, das jedoch aufgrund seiner Lage nicht zur Gänze frei gelegt werden konnte. Die von Dollacker initiierte »Ortsgeschichtliche Forschungskommission« musste sich auf eine Notgrabung beschränken, aus der hervorging, dass der Deckel der Begräbnisstätte einen Durchmesser von 4 m hatte. Entdeckt wurden die Fragmente von zwei Skeletten sowie weitgehend zerstörte Grabbeigaben. »Alle diese Funde stammen nach dem Gutachten von Dr. Reinecke aus der jüngeren Hallstattzeit und zwar anscheinend aus der Zeitstufe der eisernen Schwerter, sodaß also schon um 800 v. Chr. herum nächst der Herrnstraße eine Ansiedlung – das älteste uns bisher bekannte Amberg – gewesen sein muß« (Anton Dollacker).

Schon einen Tag später wurden ein weiteres Hügelgrab angegraben und ein Reihengräberfeld entdeckt. Da bei Letzterem, abgesehen von zwei Ohrringen, die zudem bei ihrer Bergung zerfielen, keine Grabbeigaben entdeckt werden konnten, handelte es sich mit an Sicherheit grenzender Wahrscheinlichkeit hier bereits um einen christlichen Friedhof.

Der im Hinterhof einer Brandstatt in der Oberen Nabburger Straße 3 freigelegte Rennofen

Spätere archäologische Grabungen erbrachten keine vor- und frühgeschichtlichen Funde mehr. Erwähnt seien die beiden Stadtkerngrabungen des Jahres 1984, bei deren ersterer zunächst im Zusammenhang mit der Neugestaltung des Eichenforstplatzes zwei größere Flächen untersucht werden konnten. Dabei traten unter Eisenschlacken von Verhüttungsöfen aus hochmittelalterlicher Zeit Reste von rechteckigen Holzgebäuden zu Tage. Ihre Errichtung fällt nach der dendrochronologischen Untersuchung der verwendeten Bauhölzer, die sich im feuchten Boden gut erhalten haben, in die Jahre 1020/21. Darüber hinaus traf man in einem der Hauskomplexe auf einen mit Steinen ausgekleideten Latrinenschacht, »aus dessen Füllung ca. siebzig weitgehend erhaltene Keramikfüllungen sowie Scherben von Glasbechern und mehreren Flaschen geborgen wurden« (Robert Koch). Das Material stammt aus der Zeit um 1500.

Bei der zweiten Grabung wurde im Innenhof des Rathauses ein weiterer spätmittelalterlicher Abfallschacht freigelegt, der neben einer Menge von Früchten, Samen und Abfällen von Knochen Verschnitt- und Blechreste enthielt, die von den im Erdgeschoss des Rathauses tätigen Handwerkern stammen dürften.

In den Kontext »Eisenverarbeitung« gehören die Funde von Eisenschlacken, Tondüsen sowie Keramik bei einer Grabung am Frauenplatz 1986. Sensationeller war die Entdeckung des ersten Verhüttungsofens im Stadtgebiet, der 2013 in der Oberen Nabburger Straße 3 im Hinterhof einer Brandstatt freigelegt wurde und laut entsprechender Befundung in »das fortgeschrittene 13. Jahrhundert« (Mathias Hensch) zu datieren ist. Damit gehört der Rennofen, der bei seinem Bau außerhalb der Stadt lag und erst mit der Stadterweiterung von 1326 zu dieser kam, zu den ganz späten Vertretern der Rennofentechnologie. Er enthielt »starke Holzkohleschichten, Eisenerz und hochmittelalterliche Keramik« (Mathias Hensch).

In der Nähe des Rennofens wurde ein geschliffenes Steinbeil aus der Jungsteinzeit gefunden, woraus zu schließen ist, dass der Bereich an der Vils beim heutigen Amberg schon vor etwa 5500 Jahren »von Menschen aufgesucht wurde« (Mathias Hensch).

Vom bambergischen Dorf zur bayerischen Stadt: Amberg im Hochmittelalter

1034: Erstnennung Ammenbergs

Als Kaiser Konrad II. in Regensburg am 22. April 1034 Eberhard, dem ersten Bischof des 1007 begründeten Bistums Bamberg, in einer *villa quae dicitur Ammenberg*, einem Dorf, das Ammenberg genannt wurde, eine ganze Reihe von Rechten verlieh, konnte keiner der Beteiligten ahnen, dass mit der Beurkundung die – wenn man so möchte – »Geburtsurkunde« für die spätere Stadt Amberg ausgestellt worden war. Da frühere urkundliche Belege fehlen, überliefert dieses Privileg die erste schriftliche Nennung Ambergs, das dabei als im Nordgau und in der Grafschaft eines Grafen Otto gelegen bezeichnet wird. Der Ortsname *Ammenberg* leitet sich von der Burg eines Ammo ab, die sich auf der Anhöhe des heute als Mariahilfberg bezeichneten Hügels befand. »Der ursprünglich in Hochlage positionierte Befestigungspunkt muss aber schon vor der Jahrtausendwende in die Flussebene der Vils verlegt worden sein« (Alois Schmid).

Zu den mit der Urkunde übertragenen Herrschaftsrechten gehören Bann, Markt, Zoll, Fährgerechtsame, Mühlen, stehende und fließende Gewässer, Fischerei- und Jagdrecht sowie alles, was sonst noch an kaiserlichen und herzoglichen Rechten in Amberg bestand. Von großer Bedeutung für die zukünftige Entwicklung ist die Festschreibung des Diploms, die es dem Bamberger Bischof gestattete, für seinen Ort Rechte zu erlassen *(leges facere)* und hier auf jegliche Art seinen Nutzen zu mehren.

Angesichts der umfassenden Verleihung mutet es merkwürdig an, dass der Kaiser dem Bischof, zu dessen Hochstift *Ammenberg* gehörte, keine grundherrlichen Rechte verlieh. Daraus lässt sich eigentlich nur der Schluss ziehen, dass der Bamberger diese bereits besaß.

Freilich wurde die »Geburtsurkunde« nicht unmittelbar nach der Entstehung der Siedlung ausgefertigt. Es ist vielmehr davon auszugehen, dass *Ammenberg* wesentlich älter ist. Als Indiz dafür wurde häufig die Existenz eines dem hl. Martin geweihten Heiligtums innerhalb des Ortes angeführt. Das Vorhandensein eines Martinspatroziniums deutet vielfach auf den Bau einer Kirche in karolingischer Zeit hin. Dies legt nahe, dass es sich bei dem Diplom von 1034 um ein zufällig erhaltenes Dokument handelt, dem möglicherweise schon frühere, nicht erhaltene Beurkundungen vorangegangen waren.

Ambergs Pfarrkirche: St. Georg

Auf die Frage nach den grundherrlichen Rechten des Bamberger Bischofs in Amberg scheint im Zusammenhang mit der ers-

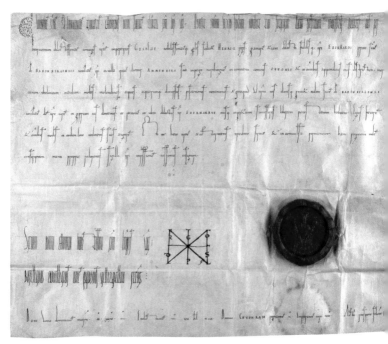

Urkunde Kaiser Konrads II. vom 24. April 1034 mit der ersten Nennung Ambergs, einer »villa, quae dicitur Ammenberg«

ten Nennung einer Amberger Pfarrkirche im Jahr 1094 ein wenig Licht zu fallen. In diesem Jahr kam der Kleriker und Chronist Cosmas von Prag in einen Ort namens *Amberk*. In seiner »Chronica Boemorum«, der »Chronik der Böhmen«, berichtet Cosmas, dass seine kleine Reisegruppe die außerhalb des Dorfes gelegene, sehr geräumige Pfarrkirche nicht betreten konnte, um die Messe zu lesen, weil deren Boden mit Todesopfern einer Seuche bedeckt war. Die von Cosmas genannte Kirche ist mit gutem Grund mit der St. Georgskirche zu identifizieren. Ihre Lage außerhalb des Ortes deutet darauf hin, dass sie der Bamberger Bischof dort aufgeführt hatte, wo er Herr über den Grund und Boden war. Damit ist im Falle Ambergs mit Sicherheit von (mindestens) zwei verschiedenen Grundherrschaften auszugehen.

Aufschlüsse zur Geschichte der St. Georgskirche und ihrer Vorgängerbauten gaben 1977 im Inneren der Kirche durchgeführte archäologische Grabungen. Sie belegen Umbauten und Erweiterungen des Sakralbaus. Zur Zeit des Cosmas von Prag dürfte sich der Bau als Saalkirche mit einer eingezogenen Apsis präsentiert haben. Die geräumige Pfarrkirche des Chronisten wies eine Länge von immerhin 20 m und eine Breite von 8,40 m auf.

Dass nicht immer die Kirche der Siedlung folgen muss, zeigt das Amberger Beispiel St. Georg. Im Zusammenhang mit der Inkorporation der Kirche in das Stift St. Jakob in Bamberg 1109 schenkte der später heiliggesprochene Bischof Otto I. von Bamberg dem Stift nicht nur die (Pfarr-)Kirche mit dem dazugehörigen Pfarrhof (Widdum), sondern darüber hinaus den Zehnt, Zinsen und Mühlen sowie 52 genutzte und ungenutzte Baugrundstücke. Dies ist ein deutliches Indiz dafür, dass im Schatten der Kirche im Westen der späteren Stadt eine bambergische Siedlung entstanden war.

Die Schenkung bedeutete nicht nur eine Mehrung der Einkünfte des Stifts St. Jakob, sondern machte es zum Patronatsherrn der Amberger Kirche. Damit lag das Präsentationsrecht auf die Pfarrei Amberg beim dortigen Stiftspropst, der in dessen Ausübung dem Regensburger Bischof einen Kandidaten für die Besetzung der Pfarrei vorschlagen konnte. Das Präsentationsrecht sollte das Stift bis zu seiner Säkularisation 1803 ausüben; danach ging es an den bayerischen Kurfürsten bzw. seit 1806 König über.

Möglicherweise gab die Schenkung von 1109 den Anstoß für bauliche Veränderungen der Kirche; so wurde zu Beginn des 12. Jhs. im Nordosten des Langhauses ein Turm angebaut. Daraufhin wurde der Saalbau mit einem Rechteckchor versehen und beträchtlich erweitert. Das Aussehen des zweiten Baus der romanischen Kirche vor der Zerstörung durch Brand zeigt das älteste Amberger Stadtsiegel. Der Neubau der gotischen Basilika begann 1359, wie aus der Bauinschrift hervorgeht.

1999 wurde im Pfarrgarten der gepflasterte Karner wiederentdeckt, auf den man bereits 1862 beim Bau des Sommerbierkellers der Malteserbrauerei gestoßen war. Der Karner war, wie aus dem Bautagebuch zu schließen, im Zusammenhang mit dem geplanten Kollegbau der Jesuiten am 4. Januar 1631 abgebrochen worden. Der Fund von 1862 war aber vollkommen in Vergessenheit geraten. Bei seiner Neuentdeckung befand sich der Karner hinter dem genannten Bierkeller unter einer meterhohen Aufschüttung an der Stadtmauer. Diese war in der Zeit des Dreißigjährigen Krieges als Bastion angelegt worden, obwohl zu dem Zeitpunkt bereits Vorwerke vor der Mauer existierten. Der Karner misst ca. 15 x 7,2 m und hat eine Höhe von etwa 3,5 m. Bei ihrer ersten Auffindung 1862 war die Ulrichskapelle, wie der Karner nach der darauf gestifteten Messe genannt wurde, zu einem Drittel mit *Todtengebeinen* angefüllt.

Der befestigte Markt der Amberger Kaufleute

Aus den Bischof Eberhard I. gewährten Rechten kann gefolgert werden, dass der als Siedlung Handel treibender Kaufleute entstandene Ort am linken Ufer der Vils 1034 schon recht weit entwickelt war. Auf Bitten des Bamberger Bischofs Eberhards II. erfuhren die Amberger (Fern-)Händler im 12. Jh. durch zwei bedeutende Zollprivilegien weitere Förderung: Am 13. März 1163 verlieh Kaiser Friedrich I. den Kaufleuten von Bamberg und Amberg die gleichen Rechte im Reich wie sie die Nürnberger bereits hatten; drei Jahre später, 1166 – die Urkunde ist nicht exakt datiert –, gewährte Bischof Rupert von Passau den Amberger Bürgern bei ihren Handelsfahrten auf der Donau die Freiheiten der Regensburger. Schon zwei Jahrzehnte früher sind zwei Einträge im Ensdorfer Traditionsbuch zu datieren, in denen der Ort als *oppidum Amberch* bzw. als *forense oppidum Amberch*, als befestigter Markt bezeichnet wird. Sie fallen in die Jahre 1139 bis 1146, die Regierungszeit des Bamberger Bischofs Egilbert.

Zwei Stellen im »Codex Falkensteinensis«, Besitz- und Rechtsaufzeichnungen der Grafen von Falkenstein, belegen, dass neben dem Bamberger Bischof der bayerische Herzog in Amberg präsent war. So nahm Otto I., der erste bayerische Herzog aus dem Haus Wittelsbach, 1182 zwei Rechtshandlungen in Amberg vor, nach deren Abschluss er aufbrach, um sich zu Kaiser Friedrich I. nach Mainz zu begeben. Eine erfolgte im *monasterio Ammenperch dextro choro*; oder wie Aventin übersetzend schreibt: *daz gischah zi Amninberc in dem chori*. »Ob es sich bei diesem Kloster um ein kleines Stift handelte, das bei St. Martin, St. Georg oder bei der späteren Spitalkirche angesiedelt war, muß offenbleiben« (Heinrich Wanderwitz). Wenig später saß der Herzog *in orreo suo Ammenperch* zu Gericht. Unklar ist, wo sich das [h]orreum, ein magazinartiger Bau, befand.

An Letzteres kann die Frage angeschlossen werden, die im Zusammenhang mit der Spitalgründung König Ludwigs des Bayern immer wieder thematisiert wurde: ob sich außerhalb der ummauerten Stadt ein Königshof befand, zu dem eine Kapelle gehörte, die in der späteren Spitalkirche aufgehen sollte. 1311 wird deutlich, dass die kleine Kirche dem hl. Johannes dem Täufer geweiht war; nach ihrer Umwidmung kam ein Petrus-Patrozinium hinzu.

Die Stadtwerdung

Im Zusammenhang mit der Frage nach der Stadtwerdung lässt ein Beleg von 1242 aufhorchen. In diesem Jahr ging die

MARKGRAF BERTHOLD IV. VON HOHENBURG

Der um 1215 geborene Markgraf wird sich wenig um seine *civitas* Amberg gekümmert haben, waren doch seine Kräfte in Italien gebunden, wo er zunächst ein entschiedener und mächtiger Parteigänger der Staufer war. Nach dem Tod König Konrads IV. wechselte er die Seiten, wurde zum Tode verurteilt, begnadigt und 1256 oder 1257 im Kerker ermordet.

Sehr wahrscheinlich ist er mit dem Hohenburger Markgrafen, der als Verfasser von Minneliedern Bekanntheit erlangte, identisch. Die Dichtkunst brachte ihm sogar einen Eintrag mit entsprechender Abbildung in der berühmten »Großen Heidelberger Liederhandschrift« (Codex Manesse) ein und unterstreicht ebenso wie seine Beziehungen zu dem jüdischen Gelehrten Moses ben Salomon von Salerno, »daß er zu jenen Persönlichkeiten gehörte, die über die politische und militärische Tätigkeit hinaus das reiche Kulturleben am Hofe Friedrichs II. mitgetragen haben« (Hans Martin Schaller).

civitas, also die Stadt Amberg, die der Bamberger Bischof Poppo dem Hohenburger Markgrafen Berthold IV. für die ungeheure Summe von 100 Pfund Pfennigen in Nürnberg zu Pfand gesetzt hatte, an Berthold über und wurde somit »Hohenburgisch«.

Interessant ist an der Urkunde von 1242 auch der Umstand, dass Amberg zu dem Zeitpunkt immer noch unmittelbar mit dem Bamberger Hochstift verbunden war und nicht den üblichen Erbgang nach dem Aussterben der Sulzbacher Grafen als den bambergischen Hochstiftsvögten 1188 über die Staufer an die Wittelsbacher genommen hatte.

Die civitas-Nennung ist aber nicht unproblematisch. Es ist zwar mit Sicherheit anzunehmen, dass zum Zeitpunkt des Herrschaftsübergangs an die Hohenburger bereits praeurbane Strukturen existierten. Dafür, dass der Ort aber noch nicht Stadt mit allen Rechten einer solchen war, spricht nicht zuletzt die Belehnung des bayerischen Herzogs Ludwigs II. des Strengen von 1269 nach dem Aussterben der Hohenburger im Mannesstamm mit dem oppidum, dem Markt Amberg.

Sicher ist aber, dass Amberg unter seinem ersten Wittelsbacher Herrn endgültig zur Stadt wurde. Das lässt sich nicht nur aus der Stadtrechtsverleihung seines Sohnes, Pfalzgraf Rudolfs I., von 1294, dem so genannten »Rudolfinum«, nachweisen, mit der dieser das heute nicht mehr erhaltene Privileg seines Vaters konfirmierte. Der umfangreiche Text der Urkunde behandelt Totschlag, Notwehr, verschiedene Formen der Körperverletzung, wie lem oder das Schlagen von der fliezenden wunden und deren Ahndung durch das Stadtgericht, Freizügigkeit, Testierfreiheit, das Verbot heimlicher Ehen und der Wiederverheiratung ohne Zustimmung der Verwandtschaft, Geleitrecht, die Verpflichtung aller, auch des Adels, zur Entrichtung der Stadtsteuer, die Stellung der Juden und schließlich die Festschreibung der Ratsverfassung. Ein eindeutiges Indiz für die Stadtwerdung ist die Verwendung eines Siegels durch die Amberger communitas civium, die Bürgergemeinschaft, in der Regierungszeit Ludwigs II.

In die Zeit Herzog Ludwigs fallen die Anfänge der Münzprägung in Amberg; so lässt sich für 1271/72 eine Pfennigprägung nachweisen, die 1274 aber wieder eingestellt wurde. Die Münzstätte befand sich apud Amberch, also vor oder bei Amberg. Richtig in Schwung kam die Münze aber erst, nachdem Kurfürst Ruprecht I. dem Fritz Alhart, der finanziell in der Lage war, das dafür benötigte Silber zu besorgen, das kurz zuvor erworbene Hallermünzregal verpachtete.

Amberg und Ludwig IV. der Bayer

Der größte Förderer der Stadt war Ludwig der Bayer, der bereits 1310 das von seinem Bruder Rudolf 1294 ausgestellte Privileg sicherlich auf den Wunsch der Stadt bestätigte. 1317 errichtete der König die heute noch bestehende Amberger Spitalstiftung ze der lenchen hant vor dem damaligen Nabburger Tor zur Ehre Gottes sowie zum eigenen Seelenheil und dem seiner Vorfahren. Es diente armen laeuten ze trost und den Bürgern von Amberg, die wir liep vor anderen unserer laeuten haben.

DAS ÄLTESTE STADTSIEGEL

Das älteste, mit einem Durchmesser von 82 mm relativ große Stadtsiegel Ambergs zeigt die Figur des hl. Georg mit Fahne und Schwert vor dem Portal des romanischen Baus der ihm in Amberg gewidmeten Kirche. Damit überliefert es eine Ansicht des letzten Vorgängerbaus der Georgskirche und stellt gleichzeitig eine Verbindung zur Bamberger Kirche her, deren Dom sowohl dem hl.

HINTERGRUND

Das älteste Stadtsiegel Ambergs zeigt den Heiligen Georg vor der ihm in Amberg geweihten Kirche. Vorliegender Siegelabdruck hängt an einer Urkunde vom 28. Juni 1317

Petrus wie dem hl. Georg geweiht ist.

Die erhaltenen Teile der Umschrift auf dem ältesten bekannten Abdruck des Siegels, das an einer nicht datierten, um 1270/80 geschriebenen Urkunde hängt, die im Archiv des Katharinenspitals Regensburg verwahrt wird, lauten: *S[IGILLVM] VNIVE[RS]ITA-[TI]S CIVIVM DE AMBE[RCH],* Siegel der Gemeinschaft der Amberger Bürger.

Ludwig weilte nicht nur wiederholt innerhalb der Stadtmauern – er beging als Herzog ebenso wie als König hier mehrfach das Weihnachtsfest –, sondern trug wesentlich zu deren Erweiterung bei. 1326 überließ er der Stadt für zehn Jahre die an ihn zu entrichtende Stadtsteuer sowie den Zoll vom Erzberg zum *stat paw.* Dessen Ziel war die Aufnahme der beiden zwischenzeitlich entstandenen Vorstädte bei St. Georg und beim Spital in die Stadtmauer sowie die Erweiterung der Stadt, deren bisher ummauerter Bereich bereits weitgehend überbaut war. Durch die Stadterweiterung bekam Amberg seine bis heute unverwechselbare »Ei-Form«.

Weitere Privilegien, die Ludwig der Stadt und ihren Bürgern gewährte, verpflichteten alle Amberger Hausbesitzer ohne Rücksicht auf ihren Stand zur Teilnahme an der Stadtsteuer, fixierten sie, schrieben das Amberger Hochgericht bei der Eichenstauden fest und entbanden die Stadt von der Atzungspflicht gegenüber dem Landesherrn, der in der Regel mit großem Tross unterwegs war. Einen Vorsprung im Bereich der Energie bei der Verhüttung der Eisenerze in den Schienhämmern bedeutete ein Privileg, das die Ausfuhr von Holz aus den Wäldern im Umkreis der Stadt zur Gewinnung von Holzkohle verbot. Weitere Privilegien zielten auf die Zollfreiheit der Amberger Kaufleute ab.

Die Förderung Ambergs durch Ludwig ist ein hervorragendes Beispiel für die Städtepolitik des Königs. Trotzdem übergab er im Hausvertrag von Pavia 1329, der die Wittelsbachischen Kernlande – das Herzogtum Bayern und die Pfalzgrafschaft bei Rhein – teilte, Amberg zusammen mit Nabburg, Neustadt a. d. Waldnaab, Neumarkt, Eschenbach, Auerbach, Oberviechtach, Weiden, Vohenstrauß, Neunburg vorm Wald sowie weiteren Orten und Burgen aus dem Viztumamt Burglengenfeld an die Söhne seines Bruders Rudolf.

Die kurpfälzische Stadt: Amberg von 1329 bis 1621

Entwicklung der städtischen Selbstverwaltung

Kontinuierlich arbeitete die Stadt nach dem Herrschaftsübergang am weiteren Ausbau der unter Ludwig dem Bayern 1326 begonnenen Stadtbefestigung und des innerstädtischen Rechts, der Grundlage städtischer Selbstverwaltung, weiter. Das Amberger Stadtrecht entwickelte sich durch die Ausübung des Satzungsrechts des Rats auf der Basis landesherrlichen Privilegienrechts. Einen ersten Niederschlag fand es in einer Sammelhandschrift aus dem letzten Drittel des 14. Jhs.

Bürger und Bürgerrecht

Beim Kauf des Bürgerrechts waren zunächst drei Gulden in Gold und 18 Pfennige zu entrichten. Danach hatte der Neubürger mit seinem Eid zu beschwören, dass er *nyeman aigen sey*, also nicht der Leibeigenschaft unterlag, und sich zu verpflichten, sein Recht vom Amberger Stadtgericht zu nehmen sowie binnen vier Wochen *aigen rauch*, eigenen Hausstand, zu haben. Ferner musste er zwei ehrbare Bürger als Bürgen dafür aufbieten, dass er sein Bürgerrecht nicht innerhalb der nächsten drei Jahre aufgeben wolle.

Zu seinen Pflichten gehörte es, mit der Stadt *zu steuern*, sprich: seinen Anteil an der Stadtsteuer, die als Mai- und Herbststeuer zu bezahlen war, zu entrichten, und mit den Bürgern *zu wachten*, sich also an der Verteidigung der Stadt zu beteiligen; aufgrund dessen hatte er bei der »Bürgerwerdung« den Besitz von Helm und Harnisch nachzuweisen. In jedem der vier Stadtviertel gab es neben dem Viertelmeister Hauptleute, die für die militärische Organisation verantwortlich waren. Diese Einteilung der Stadt ergab sich durch die Kreuzung des Flusses, der Vils, mit der Hauptdurchgangsstraße fast von selbst. Seinen Namen verdankte jedes Viertel dem jeweils dort befindlichen herausragenden Gebäude: dem Spital, der St. Martins- und der Frauenkirche sowie dem Franziskanerkloster.

Neben den Pflichten hatte der Bürger seinerseits Rechte. Dazu gehörte es, dass er nicht einfach – wie der bloße Inwohner – ausgewiesen werden konnte. Vor allem aber war er berechtigt, sich an der Ratswahl zu beteiligen. Darüber hinaus war das Bürgerrecht Grundvoraussetzung für das Führen eines Handwerks- oder Gewerbebetriebs.

Der Rat

Die Bürger sollten aus ihren Reihen – wie es im »Rudolfinum« von 1294 heißt – *acht oder zehn man nemen, die dez ratez pflegen*, wobei es unklar bleibt, wie dieses *nemen* zu verstehen war. In der Mitte des 15. Jhs. wird deutlich, dass es sich dabei um eine Wahl handelte, zu der neben dem bestehenden Rat aus den einzelnen Stadtvierteln jeweils 25 der *fürnemsten* Bürger kamen. Seit der Mitte des 15. Jhs. kennen wir die Ergebnisse der Wahl und damit die Namen der Amberger Ratsherren.

Aus jeder Wahl ging nicht nur der (Innere) Rat hervor, sondern daneben die vier Bürgermeister, die jeweils ein Vierteljahr amtierten, und die Urteiler, die als Schöffen beim Stadtgericht mitwirkten und sich erstmals 1373 urkundlich belegen lassen. Ursprünglich gab es wahrscheinlich nur einen Bürgermeister; das Amt lässt sich erstmals 1370 nachweisen, als erster Inhaber 1413 ein Friedrich Kastner.

Im Zusammenhang mit der Ratswahl erfolgte die Besetzung der städtischen Ämter. Dazu gehörten die städtischen Bediensteten im engeren Sinn, wie Stadt- und Stadtgerichtsschreiber, Kämmerer, Stadtknecht, Eicher, Salz- und Mühlmeister und Türmer, genauso wie die aus dem Rat genommenen Verwalter der verschiedenen Messen, Kirchen und Stiftungen, wie dem Spital, dem Leprosenhaus oder dem Reichen Almosen, sowie die verschiedenen *Schauer*. Bei Letzteren handelte es sich um Ratsherren, die die verschiedenen Handwerke zu überprüfen hatten, um so der Bürgerschaft eine halbwegs gleichbleibende Qualität zu gewährleisten. Genannt seien beispielsweise diejenigen, die der Rat über Bäcker, Metzger, Krämer und Gewürze oder Fischer *setzte*. Von großer Bedeutung waren dane-

DAS STADTWAPPEN AUF DEM ZWEITEN STADTSIEGEL

Das Siegelbild des zweiten Stadtsiegels zeigt erstmals das der Stadt vom Wittelsbacher Landesherrn verliehene, bis heute gebräuchliche Wappen: geteilt; oben (in Schwarz) ein wachsender, (rot) bekrönter und (rot) bewehrter (goldener) Löwe, unten die bayerischen Rauten. Sowohl der pfalz-bayerische Löwe als auch die Rauten verweisen auf die Wittelsbacher als Stadtherren.

Sein ältester erhaltener Abdruck hängt an einer Urkunde, mit der der Amberger Spitalgeistliche und -pfleger Albrecht Gebenbeck am 6. November 1357 den Nachlass des verstorbenen Pfarrers Konrad des Seemantel und dessen Schwester sowie eigene Güter an das Spital übergab. Mit einem Durchmesser von 40 mm war das zweite Siegel deutlich kleiner als das erste. Seine Umschrift – + S[IGILLVM] MINVS CIVITATIS IN AMBERCH – belegt, dass es anfangs als kleineres Siegel parallel zum ältesten Stadtsiegel Verwendung fand. Ab der Mitte des 14. Jhs. setzte es sich als ausschließliches Stadtsiegel durch.

ben die Bauschauer. Da dieser Personenkreis vereidigt wurde, überlieferte das Eid- und Gesatzbuch aus der Mitte des 15. Jhs. die Ämter und die damit verbundenen wesentlichen Aufgaben.

Die Ausbildung der städtischen Ämter zeigt, wie sehr sich die Aufgaben des Rates, der die Stadt nach innen und außen zu vertreten hatte, gemehrt hatten. Die Vertretung der Stadt nach außen dokumentiert das von Bürgermeister und Rat geführte Stadtsiegel, das im Falle städtischer Beurkundungen zum Einsatz kam.

Zur Regelung des innerstädtischen Lebens bediente sich der Rat des ihm im »Rudolfinum« zugestandenen Satzungsrechts. Dabei verbreiterte sich aus einer Fülle von Einzelentscheidungen die Amberger Stadtrechtsbasis, die mit dem »Eid- und Gesatzbuch der Stadt Amberg« eine zweite Kodifikation fand.

Über die Einhaltung der von ihm erlassenen Satzungen wachte der Rat und strafte deren Übertretung ab. Letzteres ist jedoch nicht zu verwechseln mit der Ausübung der niederen Gerichtsbarkeit, die beim Stadtgericht, ursprünglich unter dem Vorsitz eines landesherrlichen Beamten, später eines Bürgermeisters, stand. Als Schöffen fungierten dabei aus dem Rat genommene Urteiler. Gerade die Mitwirkung am Stadtgericht stärkte die Position des Rates beträchtlich, der sich von einem genossenschaftlichen zu einem herrschaftlichen Element wandelte.

Ob sich die Bürgerschaft ihre Mitwirkung am *Ratsregiment* in Amberg durch Zunftkämpfe erstritt oder ob ihnen diese die alten Ratsgeschlechter freiwillig einräumten, kann aufgrund des Fehlens entsprechender Quellen nicht gesagt werden. Ein Hinweis könnte allenfalls eine Stelle in der Chronik Michael Schweigers sein: *Item / so seyn alte Registerle und Schrifften vorhanden / das der Rat zu Amberg anno 1352. vielen Bürgern die Stad / vnd Land verboten hat / vnd etlich mit peinlichen straffen / als Rutten aus hawen Ohren abschneiden etc. gestraffet.*

Jedenfalls lässt sich 1418 erstmals ein *Äußerer Rat* nachweisen; das bisherige Gremium bezeichnete sich jetzt als *Innerer Rat*. 1456/57 bestand das gesamte Gremium aus elf Mitgliedern des Inneren und 27 Mitgliedern des *Äußeren Rats*. Wichtig für das innerstädtische Herrschaftsgefüge ist der Umstand, dass der *Äußere Rat* durch den *Inneren Rat* gewählt wurde. So konnten missliebige Vertreter der Handwerkerschaft von vornherein von der Teilnahme am Stadtregiment ausgeschlossen werden.

Gesellschaftlicher Kosmos

In der Frühzeit bestand die gesellschaftliche Spitze der Stadt aus den *mercatores*, den Kaufleuten, und den Ministerialen, zumeist Dienstmannen der Bamberger Kirche. Zur letzteren Gruppe gehört vor allem die Familie, die sich nach Amberg nannte. Ein Vertreter ist Reimar von Amberg, der 1186 in einem Vergleich zwischen den Klöstern Prüfening und St. Emmeram als Zeuge auftritt. Wie sich die Oberschicht herausbildete, die uns im ausgehenden 14. Jh. entgegentritt, lässt sich nicht mit Sicherheit sagen. Die frühesten Spuren reichen bereits in die Anfänge des 14. Jhs. »Die zahlenmäßig recht dünne Amberger Oberschicht bestand im Wesentlichen aus einem von der übrigen Bevölkerung abgehobenen Kreis von Familien« (Christian Reinhardt).

Die führenden Geschlechter der Stadt, die aufgrund ihrer wirtschaftlichen Tätigkeit als Fernhandelskaufleute und seit dem 14. Jh. verstärkt als Montanunternehmer im Bereich von Bergbau und Verhüttung der Erze zu Reichtum gelangt waren, verfügten über Sitz und Stimme im (Inneren) Rat. Genannt seien etwa die Alhart, die Reich, die Wollentzhofer oder die Kastner.

Die Geschäfte und Geschäftsbeziehungen der großen Familien haben vielfach Niederschlag in der schriftlichen Überlieferung gefunden. Eine ganze Reihe von Urkunden spiegelt ihre wirtschaftlichen Unternehmungen und den damit verbundenen Kapitalbedarf, belegt, dass sie teilweise im landesherrlichen Dienst tätig waren, oder nennt die Hammerwerke, die sie besaßen.

Ihre Testamente bezeugen ihren Reichtum und ihre Absicht, für das eigene Seelenheil und das ihrer Familien Sorge zu tragen. Diese schlug sich häufig in Jahrtagstiftungen zum Spital nieder, wo ihnen an einem bestimmten Tag ein besonderes Gedächtnis begangen wurde, im Regelfall mit einer Vigil am Vorabend und einer Seelenmesse am Tag selbst. Fast immer bekamen die Inwohner dabei eine besondere Kost. Das beste Beispiel sind die Stiftungen von Kapellen, Altären und Messen in die St. Martinskirche, mit denen ein deutlicher Akt der Selbstdarstellung einherging: ein besonderer Begräbnisplatz in der Kirche sowie das Anbringen des eigenen Wappens zur Erinnerung an die Stifterfamilie.

Unter der gesellschaftlichen Oberschicht rangierte die der zünftisch organisierten Handwerker und Gewerbetreibenden. Die Handwerker waren im eigentlichen Sinn nicht arm, obgleich festzustellen ist, dass diese Schicht in sich sehr unterschiedlich war. Das Spektrum reichte vom florierenden Unternehmen, das seinem Inhaber Sitz und Stimme im bereits erwähnten Äußeren Rat bringen konnte, bis hin zum kleinen Handwerksbetrieb, der kaum seinen Mann nähren konnte und der deshalb nur wenig über der eigentlichen städtischen Unterschicht anzusiedeln ist. Insgesamt gehörte das Gros der Handwerker der mittleren Besitzklasse an, obgleich sich keine

Gleichheit der sozialen Lage feststellen lässt. Unterschiede bestanden zwischen den einzelnen Zünften genauso wie innerhalb einer Zunft.

Darunter existierte die Unterschicht, die nie in den Genuss des Bürgerrechts kam: kleine Leute, die sich als Knechte und Mägde, Dienstboten und Tagelöhner verdingt hatten. Und schließlich folgten diejenigen, die ihren Lebensunterhalt aufgrund von Alter und Krankheit nicht oder nicht mehr aus eigener Kraft erwirtschaften konnten. Sie waren auf die Unterstützung fester Einrichtungen, wie dem Spital, angewiesen oder lebten außerhalb und bedurften hier der Hilfe durch Stiftungen, wie des 1433 von Gregor Kastner gestifteten *Reichen Almosens*, durch das jeweils am Sonntag jeder Arme einen Laib Brot und ein Pfund Fleisch erhielt. Verschämten Armen wurde ihr Unterstützungsbeitrag vom *Gemeinen Almosenkasten* ins Haus gebracht.

Während der Arme und unschuldig in Not Geratene noch auf Hilfe um »Christi Barmherzigkeit« hoffen konnte, gab es eine Gruppe, die außerhalb dieser Ordnung stand: die der »Ehrlosen« oder »Verfemten«. Dazu gehörten vor allem die im städtischen Frauenhaus tätigen Prostituierten und der Henker, der sich in Amberg seit 1352 nachweisen lässt. Da die Stadt nie die Hochgerichtsbarkeit erreichte, diente er zwei Herren: der Stadt und dem Landesherrn. Im Auftrag der Stadt vollzog er beispielsweise Stadtverweisungen, Aushauen mit Ruten, Abschneiden von Ohren, Ausstechen von Augen, im Auftrag des Landesherrn die Urteile des Hochgerichts. Seine schwierige soziale Position kam bereits in seinem Eid zum Ausdruck, der es ihm verbot, in Weinhäuser zu kommen, *rumor* zu treiben oder zu spielen.

Die Amberger Juden

Wie aus dem »Rudolfinum« von 1294 deutlich wird, sollten die Juden mit den Bürgern *dienen*, und nicht anders. Die damals in Amberg ansässigen Juden fielen – wie Andreas von Regensburg überliefert – dem »Rintfleisch-Pogrom« von 1298 zum Opfer. 1347 gewährte Ruprecht I. der Stadt das Privileg, sechs jüdische Familien mit ihrem Gesinde in Amberg aufnehmen zu dürfen.

Die Juden kamen in einer Zeit wirtschaftlicher Expansion in Handel und im Montanbereich auf Wunsch der Bürgerschaft nach Amberg, wo sie das für die Investitionen notwendige Kapital zur Verfügung stellen sollten. Nachweisbar sind zwei Arten des Geldverleihens: die Pfandleihe, bei der Amberger Bürger Luxusgüter wie Schmuck und Pelze zu Pfand setzten, und das in der Regel durch Immobilien abgesicherte Darlehensgeschäft.

Es ist anzunehmen, dass die Amberger Juden beim »Pest-Pogrom« von 1348/49 ermordet wurden. Aufgrund ihrer wirtschaftlichen Bedeutung für die Stadt und der judenfreundlichen Politik Kurfürst Ruprechts I. ließen sich aber schon wenig später erneut Juden in Amberg nieder, so dass es zur Bildung einer ansehnlichen Gemeinde kam. Einer ganzen Reihe von Urkunden verdanken wir ihre Namen, wie etwa Pendit und sein Sohn Noe, Sara und ihr Schwiegersohn Jecks. Für eine blühende Gemeinde spricht es, dass 1364 der Hochmeister Sußmann von Regensburg nach Amberg kam und mit Mosse 1369 ein weiterer Hochmeister aus Wien zuwanderte. Ob zu diesem Zeitpunkt bereits eine Synagoge bestand, ist unklar, schriftlich nachweisen lässt sie sich erst 1384.

Da mit der Zeit immer mehr Amberger Bürger Schwierigkeiten hatten, das geliehene Kapital zurückzuzahlen, wurde eine Schuldenreduzierung eingeleitet, die es den Juden unmöglich machte, sich gewinnbringend im Geldverleihgeschäft zu betätigen. Deshalb verließen einige Juden Amberg; so lässt sich der bereits erwähnte Noe 1387 in Regensburg nachweisen. Der Tod Kurfürst Ruprechts I. im Februar 1390 wirkte sich verhängnisvoll für die Juden aus: Schon ein Jahr später war der neue Landesherr, Kurfürst Ruprecht II., ein Neffe Ruprechts I., im Besitz sämtlicher ehemals jüdischer Liegenschaften in der Pfalz und wahrscheinlich ebenso in der Oberpfalz. Deshalb ist davon auszugehen, dass die Juden mit Zustimmung des Kurfürsten aus Amberg vertrieben wurden. Anstelle der Synagoge wurde – wie in anderen Städten – ein Marienheiligtum erbaut, das sich erstmals im Zusammenhang mit einer Messstiftung 1398 nachweisen lässt. Die kleine, dreischiffige Hallenkirche erfreute sich der besonderen Förderung König Ruprechts. Kurfürst Ruprecht III. amtierte seit 1400 als

Blick vom Turm der Kirche St. Martin auf Ambergs »gute Stube«, den Marktplatz mit dem Rathaus. – Foto von 2008

römisch-deutscher König, der 1404 eine Schenkung an die Kirche vornahm. Damit endete die Geschichte der spätmittelalterlichen Judengemeinde.

Städtische Bauten

Die Häuser der Amberger Bürger waren *von Steinen gemauert, mit gehauen Thüren und mit Taschen und andern Ziegeln gedekhet, dann mit gehauen Fensterstöckhen, zwey Gaden hoch* (Michael Schweiger). Für die Straßen gab es nur in wenigen Fällen Namen, zu diesen gehören die *Breite Gasse,* die *Blinde Gasse* und die *Schiffgasse;* in allen anderen Fällen genügten neben den Namen der Eigentümer die der jeweiligen Nachbarn zur genauen Bezeichnung des Grundstücks bzw. Hauses.

Rathaus

Das vornehmste städtische Gebäude war von Anfang an das Rathaus. 1348 wird seine Existenz erstmals schriftlich fassbar, wobei nichts über seine Lage ausgesagt wird. Im Zuge der jüngsten Sanierung des Rathauses, die 1989 zum Abschluss kam, stieß man im Keller auf romanische Mauern eines Vorgängerbaus. Von seiner Situierung her ist das Rathaus »eine typisch bayerische Anlage inmitten des Straßenmarktes, der als Erweiterung der Fernstraße entstand« (Erwin Herrmann). Vornehmste Aufgabe des Anwesens war es, als Versammlungsort des Rates zu dienen. Dieser verfügte im ersten Stockwerk des gotischen Bauwerks über den später so genannten Großen Saal, wenngleich ursprünglich nur bis zum fünften Fenster einschließlich. Hinzu kam ein unmittelbar daran angrenzender, heute als »Gotisches Zimmer« bezeichneter Raum, der mit an Sicherheit grenzender Wahrscheinlichkeit als Ratskapelle diente. Dafür sprechen neben den architektonischen Merkmalen Kreuzrippengewölbe, Birnstabrippen und Blattkapitellen vor allem die Schlusssteine.

Der Saal diente aber nicht nur den Versammlungen des Rates, sondern wurde darüber hinaus als Tanzplatz, vor allem im Zusammenhang mit Hochzeiten, genutzt. Daneben war im Rathaus Platz für Handel und Wandel, wie die Läden im Erdgeschoss und die von Schweiger erwähnte *Frohnwaag* belegen. Auf dem Dachboden befand sich zudem eine *Traidschütt*, im Keller ein Lochgefängnis. In der *Trinkstube* gegenüber dem Rathaus trafen sich die Ratsherren und die Mitglieder der Regierung zum geselligen Beisammensein.

In der ersten Hälfte des 16. Jhs. kam das inzwischen erweiterte Rathaus unter einen einheitlichen Dachstuhl, der im Zusammenhang mit der Erweiterung des »Großen Saales« um drei Fensterachsen stand. Mit der Vergrößerung des Saales wurde an der Südfassade ein Erker angebracht, der mit ziemlicher Sicherheit als Gerichtserker für das inzwischen vom Drahthammer ins Rathaus verlegte Hochgericht anzusehen ist. Die nächste Erweiterung des Baus leitete der Ankauf des Wohnhauses von Hiob Schwaiger 1572 ein. Damit hatte man den Platz, um eine eigene Ratsstube für die Sitzungen des Inneren Rats (heute Kleiner Rathaussaal) und in einem Mezzanin, also einem Zwischengeschoss hinter einer eisernen Türe eine Bleibe für das städtische Archiv zu schaffen.

Eine starke Veränderung erfuhr die dem Marktplatz zuge-
wandte Westfassade im letzten Drittel des 19. Jhs. durch den
Abbruch des zweiten Geschosses des Altans und den Ersatz des
fünften Bogens durch einen Wendelstein. Seither zieren alle-
gorische Figuren des Handels und der Mildtätigkeit den Rat-
hausgiebel.

Mauern, Türme und Tore

Die erste Befestigung Ambergs lässt sich im Stadtgrundriss
zumindest auf dem linken Ufer der Vils noch gut erkennen:
Sie führte vom Fluss beim Vilstor zum Spitalgraben, überquer-
te die heutige Bahnhofsstraße und verlief parallel zur Unteren
Nabburger Straße, um dann in die Paulanergasse und Zeughausstraße zu münden und an deren Ende wieder den Fluss zu
erreichen. 1994 war es möglich, die älteste Befestigung durch
archäologische Grabungen an zwei Punkten, den Anwesen
Spitalgraben 15 und Untere Nabburger Straße 9–11, zu dokumentieren. Der Eingang in die Stadt führte durch das (erste)
Nabburger Tor, das nach dem Bau des Spitals als Spitaltor bezeichnet, nach der Stadterweiterung bedeutungslos und dann
abgebrochen wurde.

Der 1326 im Westen der Stadt begonnene Bau eines Befes-
tigungsrings von circa 3 km Länge stellt eine enorme Leistung
dar. Die dabei entstandene gewaltige Stadtmauer mit ihren
nach Schweiger insgesamt 97 Türmen dominierte das äußere
Erscheinungsbild Ambergs. Eine am Georgentor angebrachte
Tafel dokumentierte den Baubeginn am 2. Mai 1326. Wie andernorts wird man zunächst die Tore und Türme erbaut und
dann die dazwischen sich befindlichen Lücken durch Mauern
verschlossen haben.

Noch im 14. Jh. entstanden die fünf Tore, die in die Stadt
hinein bzw. aus dieser heraus führten: das Vilstor, an dem vor
der Verlegung des Flusses im ersten Drittel des 20. Jhs. die namensgebende Vils vorbei floss, das Georgentor in unmittelbarer Nähe der gleichnamigen Kirche, das im Zuge der von
den Jesuiten eingeleiteten Baumaßnahmen verschwand und
durch das Neutor ersetzt wurde, das (erste) Wingershofer Tor,
das (zweite) Nabburger Tor und schließlich das Ziegeltor, be-

Das um 1400 erbaute Nabburger Tor. – Foto um 1910

nannt nach der davor bestehenden städtischen Ziegelhütte. Das Wingershofer Tor kam 1454 als Folge des »Amberger Aufruhrs« zum Schloss. Mehr als 100 Jahre später entstand unter Kurfürst Ludwig VI. in den Jahren 1579/80 ein neues Wingershofer Tor im Stil der Renaissance, in dem im letzten Drittel des 16. Jhs. bei den übrigen Stadttoren Erweiterungen sowie Um- und Vorbauten (Barbakanen) erfolgten.

Das Auf- und Zusperren der Tore besorgten vom Rat bestellte Torwärter. Neben der Funktion als Ein- bzw. Durchlass kam den Toren die Aufgabe zu, kleinere Gesetzesbrecher aufzunehmen, die dort wenige Tage oder Wochen zubrachten; ihre eigentliche Strafe bestand häufig darin, am Bau der Stadtmauer mitzuwirken. Um sie geschlossen zu halten, musste an der Stelle, an der der Fluss die ummauerte Stadt nach ihrem Durchfluss verlässt, ein 1454 erstmals als Gang über die Vils erwähnter Wassertorbau mit verschließbaren Gittern errichtet werden. Als Folge des »Amberger Aufruhrs« zog Kurfürst Friedrich I. den Bau zum Schloss. 1580 wurde er über- und zu einer dreibogigen Anlage ausgebaut; wobei der dritte Bogen später geschlossen wurde und erst in den 1990er-Jahren wieder eine Öffnung erfuhr. Die beiden stets offenen Bögen und ihre Spiegelung im Wasser hatten dem Bauwerk den sprechen-

den Namen »Stadtbrille« (s. S. 34) gegeben, durch die man von außen in die Stadt blicken kann.

Baustadel und Zeughaus

An der Stelle des kurfürstlichen Zeughauses stand ursprünglich das städtische *werckhaus*. Durch einen Grundstückstausch kam das Areal in landesherrlichen Besitz, so dass Kurfürst Philipp 1502 hier »sein« Zeughaus bauen konnte. Auf ursprünglich landesherrlichem Grund, auf dem sich der alte Hofkasten befunden hatte, führte die Stadt Amberg ein neues Bauhaus auf, in dem vor allem das für die städtischen Gebäude benötigte Bauholz ausgezimmert wurde. Daneben konnten hier Handwerker und Bürger kaufen, *was ihnen an Holtz / Steinen / Brettern / Kracksteinen etc. mangelt oder abgehet* (Michael Schweiger). Das Gebäude barg auch das städtische Zeughaus, *wo sich das Geschütz auff Redern / ins Feld vnd auff die Stadtmawr zu gebrauchen / sampt anderer Kriegsrüstung* befanden. Das Anwesen birgt heute das Stadtmuseum.

Wingershofer Tor, 1579 neu errichtet, nachdem das alte Wingershofer Tor zur Schlossbefestigung gezogen worden war. – Foto um 1910

St. Martinskirche

Neben den Profanbauten ist ein Sakralbau zu nennen, der untrennbar mit dem bürgerlichen Amberg verbunden und deshalb zu den städtischen Gebäuden zu rechnen ist. Während St. Georg 1094 als Ambergs Pfarrkirche und außerhalb des Ortes gelegen aufscheint, existierte innerhalb des Ortes schon früh ein dem hl. Martin geweihtes Heiligtum, wobei es unklar ist, auf wie viele Vorgängerbauten die jetzige Kirche zurückblicken kann. Immer wieder werden in der zweiten Hälfte des 14. Jhs. Schenkungen für *ein newes gepeu an dem gotshaus zu sanct Martin* überliefert, so 1384 in einer Schenkung des Linhart Rütz. Offensichtlich gab es aber schon Zweifel an der Realisierung des Vorhabens; so verfügte Rütz, dass seine Gabe St. Georg zugutekommen sollte, falls der Neubau von St. Martin unterbliebe.

Nachdem die Planungen 1421 abgeschlossen waren, wurde mit dem Bau begonnen. 1442 war der durch eine provisorische Mauer abgeschlossene Ostteil vollendet, der in der Folge im Inneren ausgestattet und mit Altären versehen werden konnte. Damit war die Abhaltung von Gottesdiensten möglich,

Die Spiegelung im Wasser der Vils erklärt, warum der Wassertorbau in Amberg als »Stadtbrille« bezeichnet wird

bevor der Bau der mächtigen Hallenkirche das linke Ufer der Vils erreichte: Dort war 1456 die Vorgängerkirche abgebrochen worden. 1483 war das Langhaus eingewölbt, 1487 konnte die Trennmauer entfernt werden. Trotz wechselnder Baumeister war so nach einheitlichem Plan eine mächtige dreischiffige Hallenkirche mit einer Länge von 70 und einer Breite von 20,5 m entstanden. Besonders ins Auge fällt der mächtige Turm, für den 1461 die Baugrube ausgehoben wurde und der zwischen 1508 und 1510 zum Abschluss kam. Er erreichte eine Höhe von 92 m.

Ziel der Kirche war neben dem repräsentativen Bau die Schaffung eines Kapellenkranzes, der durch die Einziehung der Strebepfeiler nach innen realisiert werden konnte; sie bildeten so die Seitenwände der Kapellen. Nach oben – und dies ist ein besonderes Merkmal von St. Martin, das sich sonst nur in der sächsischen Bergwerksgotik findet – werden die Kapellen von einer umlaufenden Empore abgeschlossen. In die 19 Kapellen stifteten die großen Geschlechter Ambergs wie die Alhart,

Amberg,
Partie an der Vils.

895 Hermann Martin, Kunstverlag. Nürnberg 1900

Partie an der Vils, in der Bildmitte die noch geschlossene Krambrücke,
dahinter die Martinskirche. – Ansichtskarte 1900

Reich, Rütz oder Kastner Altäre und Benefizien und verfügten darin über eine exponierte Grablege.

Eisenstadt: *Ambergs Wirtschaft*

Bergbau

Die Wirtschaft Ambergs ruhte seit dem 14. Jh. auf drei Säulen: dem Abbau der Erze auf dem Amberger Berg, ihrer Verhüttung in Schienhämmern außerhalb der Stadt und schließlich dem Monopol im Bereich der Vilsschifffahrt. Im 16. Jh. kam die Zinnblechhandelsgesellschaft als vierte Säule hinzu.

Der Amberger Bergbau lässt sich erstmals urkundlich nachweisen, als Ludwig der Bayer den Amberger Bürgern 1326 zur Erweiterung der Stadt neben der Stadtsteuer *thelonium suum auf dem Aertzperig*, seinen Zoll auf dem Erzberg, überließ. Der Landesherr unterstützte in der Folgezeit nicht nur die wirtschaftliche Entwicklung der Amberger Kaufleute durch entsprechende Zollprivilegien, sondern ebenso den Bergbau. Ein weitreichendes Privileg stammt von Ruprecht I., der 1350 den Amberger Bürgern die Freiheit gewährte, dass sie Eisenerz *in allem unserm land und aller unsir herscheft und gebyt* suchen durften. Dabei sollten sie überall *die reht, vreyheit und gewonheit* wie auf dem Amberger Erzberg haben. Diese Bestimmung scheint schon auf das Vorhandensein eines Amberger Bergrechts abzuheben, das eine Sammelhandschrift aus dem letzten Drittel des 14. Jhs. überliefert. Detailliert regelte es die Vorgehensweise vom Abstecken der Grube bis zum Abbau der Erze.

Strittig war es immer wieder, ob der stets nur periodisch in so genannten *Würken* betriebene Bergbau durch einzelne Gewerken oder Gesellschaften durchgeführt werden sollte. Letzteres erschien vor allem dann lukrativer zu sein, wenn es darum ging, die großen damit verbundenen Probleme zu lösen, die vor allem im *Wasserheben* zu suchen sind. Vielfach standen aber vor allem die großen Amberger Familien, die sich als Gewerken im Bergbau und als Hüttenleute bei der Verarbeitung der Erze in den Schienhämmern engagierten, dem Abbau durch städtische Gesellschaften ablehnend gegenüber.

Betrieb von Schienhämmern

Es ist anzunehmen, dass in der Frühzeit die Eisenerze in unmittelbarer Nähe zu den Gruben, in denen sie gefördert worden waren, in einfachen Rennherden verhüttet wurden. Ein gutes Beispiel ist der eingangs erwähnte Ofen. Ab der Mitte des 13. Jhs. verlegte man die Verhüttung an Flussläufe, um in den jetzt entstehenden Schienhämmern die Wasserkraft zu nutzen. In diesen eisenverhüttenden Betrieben wurde das Erz »zusammen mit Holzkohle und Zuschlägen in Zerrennherden (Esse-ähnlichen Öfen) zu metallischem Eisen reduziert und durch Aufkohlen im Wellherd zu kohlestoffarmem, schmiedbarem Eisen (Stahl) umgewandelt« (Helmut Wolf). So entstand das für das Hüttenwerk namensgebende Schieneisen. Das so erzeugte Halbfertigprodukt konnte in anderen eisenverarbeitenden Betrieben wie Blechhämmern oder Drahthämmern weiter verarbeitet werden.

Die Einführung der neuen Technik bedeutete einen enormen »Innovationsschub« (Helmut Wolf). Deshalb überrascht es nicht, dass sich die Zahl der Schienhämmer im ersten Drittel des 14. Jhs. so stark vermehrte, dass man nach Maßnahmen zu ihrer Begrenzung suchte. Ein erster Schritt war die Hammereinung, die die Städte Amberg und Sulzbach 1341 schlossen. Offensichtlich reichte diese erste Übereinkunft noch nicht aus, deshalb kam es 1387 zum Abschluss der »Großen Hammereinung«.

Im 15. Jh. wurden die Blechhämmer, die aus den Rohprodukten der Schienhämmer Bleche schmiedeten, verpflichtet, ebenfalls der Hammereinung beizutreten. Zur Herstellung der Bleche diente das Deicheleisen, das bei der Erhitzung des Eisens im Wellherd abtropfte und besonders zäh und weich war.

Die Zinnblechhandelsgesellschaft

Im November 1533 forderte Pfalzgraf Friedrich II. die Bürger auf, sich an der von ihm geplanten Zinnblechhandelsgesellschaft finanziell zu beteiligen, deren Gründung Ende des Jahres 1533 unter Beteiligung des Pfalzgrafen und einer ganzen Reihe von Mitgliedern der Regierung und Hofhaltung vorgenommen wurde. Ziel des Unternehmens war die Herstellung des be-

DIE »GROSSE HAMMEREINUNG« VON 1387

Die Ratsgremien Ambergs und Sulzbachs schlossen am 7. Januar 1387 mit den Bürgern der Stadt Nürnberg – soweit sie Schienhämmer besaßen – die Große Hammereinung, der 64 Hammerherrn als Eigentümer von 77 Schienhämmern beitraten und die die Urkunde als äußeres Zeichen ihrer Verpflichtung besiegelten. Obgleich sie eine Fortführung des Vertrags von 1341 ist, zeichnet sie sich durch eine deutliche Perfektionierung und den Versuch aus, möglichst alle Eventualitäten zu regeln. Unter Einung ist nicht nur das das Kartell begründende Dokument zu verstehen, sondern ebenso der auf dieser Basis entstandene Wirtschaftsverband.

Hauptziel der Einung war die Begrenzung der Zahl und Kontrolle der Produktion der Schienhämmer, die man durch eine Reihe von Verboten zu erreichen suchte, wie das, neue Schienhämmer anzulegen oder Blech- in Schienhämmer umzuwandeln. Erfolgreich konnte die Einung nur werden, wenn es ihren Initiatoren gelang, möglichst alle Schienhammerbetreiber zum Beitritt zu zwingen. Ein geeignetes Mittel war die Möglichkeit der Städte Amberg und Sulzbach, nicht beitrittswillige Hüttenleute von den Erzlieferungen auszuschließen. Neben den Verboten gab es eine Vielzahl weiterer Einzelbestimmungen, die

Hammereinung von 1604. – Druck von Michael Forster, an weiß-blauer Schnur befinden sich die Siegel Kurfürst Friedrichs IV., Pfalzgraf Philipp Ludwigs von Pfalz-Neuburg und der Städte Amberg und Sulzbach in Holzkapseln

etwa die Produktionsmengen sowie die Produktions- und »Feier-Zeiten« regelten, in denen die Hämmer nicht arbeiteten und in denen Ausbesserungsarbeiten in den Betrieben anstanden. Andere Festschreibungen beschäftigten sich mit dem Hüttenpersonal, seiner Zusammensetzung und Entlohnung sowie dem Verbot, es abzuwerben.

Ursprünglich war eine Laufzeit von vier Jahren für das Vertragswerk vereinbart worden. Mit der Erneuerung der Einung auf weitere zehn Jahre 1397 wurde ein Weg eingeschlagen, der zum Fortbestehen der Hammereinung führte; ihr letzter Abschluss erfolgte 1616. Als Laufzeit waren wieder zehn Jahre vereinbart worden, so dass die Einung 1626 auslief, ohne dass es einer Kündigung bedurfte.

Da die Hammereinung daneben auf den Bergbau regulierend eingriff, wurde sie zum wichtigsten Instrumentarium der Oberpfälzer Montanindustrie. Während sie zu Beginn die in sie gesetzten Hoffnungen erfüllte, wirkte sie sich langfristig jedoch eher verhängnisvoll aus. Der Hauptgrund hierfür besteht im Festhalten an der Schienhammertechnologie; durch den Verzicht auf Stuck- und Hochöfen kam es in der Oberpfalz weder zur Produktion von qualitativ hochwertigem Stahl noch von Gusseisen.

gehrten Weißblechs durch Verzinnung der in den Hammerwerken erzeugten Schwarzbleche und dessen Vertrieb. Noch im Jahr 1533 errichtete der bekannte Nürnberger Blechzinner Hans Graf in Amberg eine Zinnpfanne. Gleichzeitig wurden zur Lieferung des benötigten Schwarzblechs Verträge mit verschiedenen Hammermeistern geschlossen, woran Hans Graf, der sich ebenso um den Bezug des zweiten Rohstoffs, des Zinns, kümmerte, beteiligt war.

In einem weiteren Schritt galt es, das Kapital der Gesellschaft durch Einlagen zu mehren, da schon im Januar 1534 zumindest Friedrich II. beabsichtigte, weitere Pfannen zu installieren. Das gestaltete sich anfangs jedoch schwieriger als erwartet: Die Amberger Bürger, denen neben den Mitgliedern der Regierung der Kauf der Anteile vorbehalten war, zeichneten diese nur zögernd.

Die Führung der täglichen Geschäfte lag in der Hand zweier so genannter *Faktoren*, die als Angestellte des Unternehmens dem *Rath*, einem Aufsichtsrat, rechenschaftspflichtig waren. Aus der bis um 1600 anhaltenden Blütezeit der Gesellschaft ist relativ wenig bekannt. Ab 1614 lässt sich der Geschäftsgang recht gut nachvollziehen: Deutlich wird der drastische Rückgang des Eigenkapitals und die damit verbundene dauernde Erhöhung des Fremdkapitals, bis Letzteres wesentlich höher war als die Einlagen der Gesellschafter. 1631 kam es zur Auflösung der alten und zur Gründung einer neuen Gesellschaft. Grund dafür war aber nicht nur die wirtschaftliche Lage, sondern darüber hinaus die Absetzung des protestantischen Faktors Hieronymus Spindler durch die kurbayerische Regierung aus konfessionellen Gründen. Als die neue Gesellschaft ihren Betrieb 1656 einstellen musste, endete die Geschichte der frühen Aktiengesellschaft in Amberg endgültig.

Handel

Der Handel, dem Amberg sein Entstehen verdankte, spielte auch danach eine große Rolle für das Wirtschaftsleben. »Die Lage Ambergs im nordgauischen System der West-Ost- und Nord-Süd-Durchgangsstraßen und am Wasserweg über die Vils und Naab zur Donau haben den weiträumigen Handel begünstigt« (Wilhelm Volkert). Die Stadt war sich dessen bewusst und drängte 1329 unmittelbar nach dem Hausvertrag von Pavia darauf, sich von Ludwig dem Bayern die von ihm ein Jahr zuvor gewährten Handelsprivilegien erneut bestätigen zu lassen. In Trient befahl der Kaiser dann den Regensburger Bürgern Heinrich dem Tundorffer und seiner Gesellschaft sowie Ulrich dem Schreiber, für den Schutz der Amberger Zollfreiheit Sorge zu tragen. Sieben Monate später, am 12. März 1330, bestätigten die neuen Stadtherren, Kurfürst Rudolf II. und Pfalzgraf Ruprecht I., in Amberg die der Stadt von Pfalzgraf Rudolf I. und Kaiser Ludwig gewährten Freiheiten.

Versorgung der Bevölkerung

Der Versorgung der Bevölkerung dienten neben dem Vieh, das zu fast jedem Haus gehörte, *Lustgärten*, Obstbäume und Krautgärten außerhalb der Stadtmauer. Die Wasserversorgung gewährleisteten zur Zeit Schweigers 42 Schöpfbrunnen und 243 Brunnen in den Häusern sowie fliessend Brunnen, die das Wasser vom später so genannten Mariahilfberg in die Stadt zu einigen Zapfstellen wie dem kurfürstlichen Schloss, dem Spital und anderen Punkten führten.

Grundsätzlich waren die in Amberg ansässigen zünftischen Handwerke durchaus in der Lage, die Versorgung der Bevölkerung mit Nahrung oder Kleidung zu gewährleisten. Abgesehen von den wichtigsten Nahrungsmitteln erwähnt Schweiger: *Gewelb / Kreme / vnd Handwercher Leden / darinn man allerlay Wahr / von Sammat / Seiden / Gut / vnd gering Gewand / Gewürtz / Leinbat / Handwerchswahr / vnd andere gemengte Kremerey (nach des orts gelegenheit).* Ein einmal wöchentlich abgehaltener Markt, der erstmals in einer Urkunde Ludwigs des Bayern für das Kloster Kastl von 1323 genannt wird, ergänzte das städtische Angebot. Wie aus der renovierten Wochenmarktsordnung Kurfürst Friedrichs IV. von 1606 hervorgeht, konnten sich die Untertanen aller Dörfer im Landgericht und Hofkastenamt Amberg daran beteiligen; Markttag war Samstag. Hinweise auf Marktgeschehen in Amberg geben die Bezeichnungen einiger Plätze, allen voran der 1357 erstmals urkundlich erwähnte Marktplatz; ebenfalls relativ früh, 1381, wird der Roßmarkt genannt; erwähnt seien daneben spätere Benennungen wie Sau- oder Holzmarkt.

Trotz des lokalen Angebots bestand Interesse an Jahrmärkten, die später Dult genannt wurden und bei denen überregionale Waren zum Kauf standen. Deshalb gewährte Kurfürst Ruprecht I. am 13. September 1364 den Amberger Bürgern drei Messen und Jahrmärkte; der erste sollte am Pfingstabend beginnen, der zweite am Vorabend vor Jakobi, dem 24. Juli, und der dritte schließlich am Abend vor der Kalten Kirchweih, die in Amberg am Fest Kreuzerhöhung begangen wurde, also am 13. September. Um einen geregelten Ablauf der Jahrmärkte zu garantieren, sicherte der Kurfürst den nach Amberg kommenden Gästen und Kaufleuten »Friede und Geleit« zu (Karl-Otto Ambronn).

DIE VILSSCHIFFFAHRT

Zum Handel Ambergs bot sich von alters her die Wasserstraße an, die von der Vils zur Naab und schließlich zur Donau führt. Nach der Ausschaltung aller anderen Konkurrenten verfügte die Stadt Amberg im Bereich der Vilsschifffahrt über ein sehr einträgliches Monopol. Zwei wichtige Handelsgüter wurden in Frachtverbundenheit transportiert: vilsabwärts Eisenerz und Eisen, flussaufwärts vor allem Salz.

Die Vilsschiffe zeichneten sich durch einen sehr geringen Tiefgang aus, waren ca. 24 m lang und 3,3 m breit.

War die Talfahrt trotz zahlreicher Schleusen und Wehre noch relativ problemlos, so kamen die Schwierigkeiten für die Schiffleute auf der Bergfahrt: Die schwer beladenen Kähne konnten nur im Traidelzug, von Pferden gezogen, nach Amberg gebracht werden. Während man vilsabwärts in einem Tag bis Regensburg kam, dauerte die Rückfahrt Tage.

Gleichzeitig kam es zu häufigen Auseinandersetzungen mit verschiedenen Vilsanrainern wegen Flurschäden, ebenso mit den Besitzern der verschiedenen Schienhämmer, die die Wasserkraft zum Betrieb ihrer Werke nutzten und deshalb den Fluss stauten. Für die Zwecke der Schifffahrt mussten die Wehre natürlich wieder geöffnet werden.

Da Amberg über keinen natürlichen Hafen verfügte, legten die mit dem wertvollen Salz beladenen Schiffe unweit der Martinskirche an, wo sie gelöscht wurden. Das »weiße Gold« wurde in den nahe gelegenen Salzstadel verbracht. Im Gegenzug nahmen die Vilsschiffe ihre Erzfracht für den Rückweg außerhalb der Stadt auf; die Verladestätte befand sich beim Wingershof.

Wie die erhaltenen Handelsprivilegien, die bis in die Mitte des 12. Jhs. zurückreichen, dokumentieren, fuhren die Amberger Kaufleute nicht nur bis Passau, sondern setzten ihre Reise sogar bis Ungarn fort. Daneben kamen sie donauaufwärts bis Ulm, wo ebenfalls ein wichtiger Warenumschlagsplatz bestand.

Vilsgrund, im Hintergrund die Stadt Amberg. – Zeichnung von Georg Bauer, Lithografie von Josef Carl Ettinger um 1825

Unter den Kurfürsten von der Pfalz

Die alte Residenz Amberg

Mit dem Hausvertrag von Pavia änderten sich die Verhältnisse auf dem Nordgau gravierend. Den an die pfälzischen Wittelsbacher gekommenen Ämtern fehlte ein Verwaltungsmittelpunkt, da das bisher für den Nordgau zuständige Viztumamt Burglengenfeld als Zentrum der bayerisch gebliebenen Ämter fortbestand. Deshalb musste ein neues Viztumamt geschaffen werden; die Wahl fiel dabei auf Amberg, das aber nicht nur Sitz eines Viztums und damit Regierungs-, sondern darüber hinaus Residenzstadt werden sollte.

Der Landesherr verfügte schon zum Zeitpunkt der Belehnung Ludwigs II. mit Amberg 1269 mit dem *Eichenforst* über ein *festes Haus* am rechten Ufer der Vils, das er dem Viztum als Residenz zuwies. Äußerlich sichtbaren Niederschlag hat dieser Umstand in einem Wappenfresko des Konrad von Rosenberg, der sich für die relativ lange Zeit von 1361 bis 1385 als Amber-

ger Viztum nachweisen lässt, im zweiten Obergeschoss des Gebäudes gefunden. Es ist urkundlich 1295 nachweisbar, dass
Pfalzgraf Rudolf bei seinen Aufenthalten in der Stadt im Haus
des Amberger Bürgers Alhart und dessen Frau Jutta Quartier
nahm; dies könnte ein Indiz dafür sein, dass der Eichenforst
durch die Wohnung des Viztums belegt war, oder aber, dass er
im Hinblick auf seine Ausstattung dem Repräsentationsbedürf-
nis des Fürsten nicht genügte.

Nach dem Herrschaftsübergang führten die häufigen Auf-
enthalte der Pfalzgrafen und die Bestrebungen, in Amberg über
eine Hofhaltung zu verfügen, zu einer Mehrung des hochmit-
telalterlichen Baubestandes. Dabei entstanden die zwei später
als vorderes und hinteres Steinhaus an der Vils bezeichneten Kemena-
ten. Von diesen existiert nur noch das seit der Ankunft der Armen Schulschwestern Unserer Lieben Frau im Jahr 1839 als
Klösterl bezeichnete vordere Steinhaus, das heute dem »Amberger
Luftmuseum« Raum gibt. Die Silhouette des Gebäudes wird
von einem imposanten Treppengiebel und dem Chorerker seiner Hauskapelle geprägt, die im 14. Jh. ausgebaut wurde. Ihre
Glasfenster stammen noch aus der Erbauungszeit.

Den Eichenforst und die beiden Steinhäuser ergänzten weitere, heute nicht mehr vorhandene Gebäude wie Kanzlei, Hof-
und Küchenmeister-, Hafner- und Jägerhaus. Aus der schlechten Überlieferung für die Amberger Hofhaltung im 14. Jh. ragt
nur die Nennung einzelner damit in Zusammenhang stehender
Ereignisse heraus.

Dazu gehört die Geburt Pfalzgraf Ruprechts II. am 12. Mai
1325 in Amberg, die Anwesenheit seiner Gemahlin, Beatrix
von Sizilien, während Ruprechts fünfjähriger sächsischer Ge-
fangenschaft sowie die Vermählung ihres 1352 geborenen
Sohns, des späteren Königs Ruprecht, mit der Burggrafentoch-
ter Elisabeth von Hohenzollern-Nürnberg 1374. Sie wurde in
Amberg sicherlich mit der gleichen Pracht und Herrlichkeit
gefeiert wie die »Amberger Hochzeit« (s. S. 51) ein Jahrhundert später, nur dass für 1374 aussagekräftige Quellen fehlen.
Nach seiner Vermählung blieb das Fürstenpaar noch länger in
Amberg, die zukünftige Königin teilweise auch alleine. Ihre
Wohnräume und die ihrer Schwiegertochter, Katharina von

Das ehemalige vordere Steinhaus an der Vils, seit der Ankunft der Armen Schulschwestern als Klösterl bezeichnet, birgt heute das »Amberger Luftmuseum«

Pommern-Stolp, Gemahlin Pfalzgraf Johanns, befanden sich neben einem großen Saal in dem *hinteren Steinhaus* an der Vils.

Der Amberger Hof war Schauplatz eines Treffens der Pfalzgrafen mit König Wenzel 1387. Zehn Jahre später kam eine illustre Gästeschar zur Beisetzung Pfalzgraf Ruprecht Pipans, des ältesten Sohns Kurfürst Ruprechts III., nach Amberg. Der Kurprinz, wie sein Vater in Amberg geboren, verstarb nach der Rückkehr der Schlacht von Nikopolis, bei der er sich mit einer todbringenden Krankheit infiziert hatte, am 25. Januar 1397 in Amberg, wo er in einer prächtigen Tumba im Vorgängerbau der heutigen St. Martinskirche seine letzte Ruhestätte fand.

In Amberg führte König Ruprecht die Verhandlungen mit einer Florentiner Gesandtschaft über die Finanzierung des von ihm geplanten Italienzugs. Dabei wäre Ruprecht beinahe einem Anschlag seines Leibarztes, Magister Hermanns, zum Opfer gefallen.

Der König versuchte auch, das seit 1378 bestehende Kirchenschisma beizulegen, das seinen Höhepunkt erreichte, als sich 1408/09 drei Päpste gegenüberstanden: der römische Papst Gregor XII., an dem König Ruprecht festhielt, der auf dem Konzil von Pisa gewählte Alexander V. und schließlich der in Frankreich residierende Benedikt XIII. Nach dem Tod des Regensburger Bischofs Johanns I. von Moosburg griff das Schisma auf das Bistum über, als Albert III., von Stauffenberg, ein Anhänger des Konzilspapstes Alexanders V., den Regensburger Bischofsstuhl bestieg. König Ruprecht ging deshalb daran, mit Zustimmung »seines« Papstes, Gregors XII., in der »heroberen Pfalz« ein eigenes Bistum zu errichten, zu dessen Sitz er Amberg bestimmte.

Seit 1404 fungierte Johann, der nachmalige Pfalzgraf von Neumarkt, als Statthalter der Oberpfalz. Er lebte zusammen mit

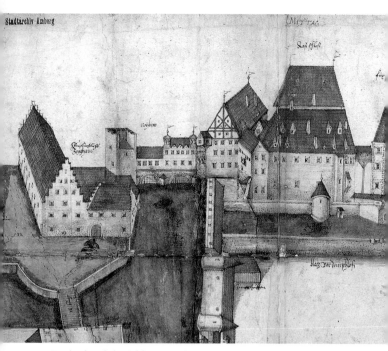

Das kurfürstliche Schloss von Norden. – Detail aus der kolorierten Federzeichnung des Hanns Kannlpaldung von 1589

BISTUM AMBERG

Der Chronist Andreas von Regensburg berichtet im Zusammenhang mit dem Schisma in Amberg *(De scismate in Amberg)* von
einem aus Hessen stammenden Weltgeistlichen namens Hermann, den Papst Gregor XII. als Titularbischof *(episcopus Ebro-
nensis)* in Amberg das Bischofsamt ausüben ließ. Über ihn geben
die erhaltenen schriftlichen Quellen nur wenig Aufschluss; es
kann nicht einmal mit Sicherheit gesagt werden, ob er noch zu
Lebzeiten König Ruprechts – der König starb am 18. Mai 1410 –
seinen Einzug in Amberg hielt.

Wesentlich besser ist die Überlieferung für Konrad von Soest, der
in der älteren Forschung mit dem Amberger Bischofsamt ab 1413
in Zusammenhang gebracht wurde. Tatsächlich begründete Konrad aber sein Eingreifen in das »Amberger Schisma« mit der Ausübung seiner Würde als Legat des römischen Papstes Gregor XII.
und nicht als Bischof. So nahm der bedeutende Konzilstheologe
vor Ort die Exkommunikation des hiesigen Stadtpfarrpredigers
Johannes von Wünschelburg, eines Anhängers des Pisaner Papstes, vor. Das »Amberger Schisma« endete mit der Eröffnung des
Konzils von Konstanz und dem Verbleib des Johannes von Wünschelburg auf seiner Pfründe.

Konrad von Soest bestieg 1428 als Konrad VII. den Regensburger
Bischofsstuhl. Sechs Jahre später erwarb er für sich, seine
Schwester und deren Tochter das *vordere Steinhaus* an der Vils;
1445 fiel es nach deren Tod wieder an die Kurpfalz zurück.

seiner Gemahlin Katharina bis zum Tod König Ruprechts überwiegend in Amberg, wo Katharina verschiedene Umbauten an
der Residenz vornahm und einen Weingarten anlegte. Ein
Rechnungsbuch von 1409 belegt die prächtige Hofhaltung.
Den Höhepunkt bildet die Geburt ihres Sohns, Pfalzgraf Adolfs,
in Amberg, der jedoch wenig später verstarb.

Wichtig war für die Stadt am Ende der Herrschaft König
Ruprechts, dass sich die drei »Ruprechte« (Kurfürst Ruprecht I.
und die nachmaligen Kurfürsten Ruprecht II. und Ruprecht III.)
1378 über die Ausbildung eines Kurpräzipuums verständigten,
das die Städte und Burgen in der Rhein- und in der Oberpfalz

umfasste, die *ewiglich bey der Chür / vnd Pfaltz am Rein bleiben sollen* (Michael Schweiger). Dies kam erstmals bei der Teilung von 1410 zum Tragen, als Ludwig III. seinem Vater in der Kurwürde nachfolgte und das Kurpräzipuum übernahm, während sein jüngerer Bruder Johann, der bis dahin in Amberg residiert hatte, Neumarkt erhielt. Die *fürnemeste* Stadt in der Oberpfalz, die zum Kurpräzipuum gehörte, war Amberg.

Schloss und Herrschaft

Aufgrund der baulichen Entwicklung der Stadt genügte den Pfalzgrafen-Kurfürsten ihre Amberger Residenz zu Beginn des 15. Jhs. nicht mehr, zumal sie ihre Randlage verloren hatte, wodurch der Landesherr darauf angewiesen war, dass ihm die Stadt Zugang zu seiner Residenz gewährte. Deshalb erwarb Kurfürst Ludwig III. 1416 am Stadtrand vier Häuser zum Bau eines neuen Schlosses; unmittelbar nach dem Baubeginn, 1417, kamen zwei weitere Anwesen hinzu. Der aus späterer Sicht erste Teil des Neuen Schlosses, direkt an der Stadtmauer erbaut, später als *vordere Kemenate* bezeichnet, barg den *steinernen Saal*, eine Dürnitz, also einen Speise- bzw. Gemeinschaftssaal, den Pfalzgraf Philipp einwölben und mit den Wappen seiner Ahnen und denen seiner Gemahlin ausstatten ließ, und das Gemach des Fürsten.

Nach dem Abschluss des Schlossbaus 1420 waren die bisherigen Gebäude obsolet geworden. Das *vordere* und das *hintere Steinhaus* an der Vils konnten als *Freihäuser* zu Lehen ausgegeben werden. Bedeutendster Inhaber des *vorderen Steinhauses* war das Montanunternehmergeschlecht der Hegner zu Moos und Altenweiher. Der *Eichenforst* kam zunächst an verschiedene Vertreter der Familie Nothaft von Wernberg; daneben fungierte er als herrschaftlicher Marstall und umfasste Wohnungen für das Stallpersonal.

Dass die Befürchtung des Landesherrn, vom Zugang zu seiner Residenz abgeschnitten zu werden, nicht unbegründet war, zeigen die Ereignisse, die als »Amberger Aufruhr« in die Geschichtsbücher Eingang fanden. Dessen Folgen waren die Übergabe des heute als »Stadtbrille« bezeichneten Wassertorbaus an den Kurfürsten und der burgartige Ausbau des Schlos-

DER »AMBERGER AUFRUHR« VON 1453/54

Die Differenzen entzündeten sich an einer Frage des dynastischen Familien- und Erbrechts. Ausgangspunkt war der unerwartet frühe Tod Kurfürst Ludwigs IV. 1449 im Alter von 25 Jahren. Erbe und Nachfolger war sein erst 13 Monate alter Sohn Philipp. Zu seinem Vormund hatte Ludwig seinen Bruder, Pfalzgraf Friedrich, bestimmt, der für seinen Neffen von 1449 bis 1451 die Vormundschaft übernahm. Da unmittelbar nach dem Beginn der vormundschaftlichen Regierung politische und militärische Ereignisse eintraten, die aus der Sicht Friedrichs den Bestand der Kurpfalz bedrohten, sah er sich 1451 veranlasst, selbst die Kurwürde zu übernehmen. Um aber die Rechte seines Neffen nicht zu schmälern, adoptierte er den kleinen Philipp, brachte sein eigenes Erbteil in die Kurpfalz ein und verzichtete für sich auf eine standesgemäße Eheschließung. Dazu holte Friedrich die Zustimmung der Mutter Philipps sowie der pfälzischen Großen ein.

Die Stadt Amberg berief sich darauf, dass sie bereits im Frühjahr des Jahres 1450 Philipp gehuldigt habe, und war nicht bereit, die Herrschaftsübernahme Friedrichs anzuerkennen. Um die Sache beizulegen, entsandte Friedrich 1453 zwei Räte, die die Amberger *mit gewapenter [also bewaffneter] handt und uppigen schmelichen wortten [...] überliefen* (Mathias von Kemnath) und kurzfristig gefangen setzten.

Fast ein Jahr später, in den ersten Februartagen des Jahres 1454, erschien Kurfürst Friedrich I. mit 1100 schwerbewaffneten Reitern und 2000 Mann Fußvolk vor der Stadt, die ihm keinen Widerstand entgegensetzte, am 3. Februar huldigte und *ain grosse steuer* gewährte. Am nächsten Tag ließ der Kurfürst 60 Amberger festnehmen, von denen er Veit Arnpeck zufolge vier, der übrigen Überlieferung zufolge drei am Morgen des 5. Februar 1454 auf dem Marktplatz enthaupten ließ; der Kurfürst nahm selbst an der Hinrichtung teil.

ses mit Graben, Toranlage und Zugbrücke durch Friedrich, dem die Geschichte den Beinamen »des Siegreichen« gab; seine Gegner vor allem in der Oberpfalz hingegen nannten ihn den »Bösen Fritz«. Bis heute erinnert das Epitaph des 1501 in

Amberg verstorbenen Martin Merz, des obersten Büchsenmeisters des Kurfürsten, an der Außenmauer der Martinskirche an Friedrich und seine Feldzüge.

Das Schloss erfuhr vor der Hochzeit Pfalzgraf Philipps 1474 eine erste Erweiterung. Parallel zu dem bereits als *altes hus* bezeichneten Bau Kurfürst Ludwigs III. wurde ein *neuer hof*, die nachmalige *große Kemenate*, der heutige Hauptbau des Schlosses, aufgeführt, der dem jungen Fürstenpaar bis zur Übernahme der Kurwürde durch Philipp 1477 als erste Residenz diente.

Anders als der Vater zog der spätere Kurfürst Friedrich II., ein Sohn Kurfürst Philipps, Neumarkt als Sitz seiner Statthalterschaft vor. Erst auf Drängen der Landstände war er bereit, nach Amberg zu kommen. Hier suchte der Hochverschuldete vor allem wirtschaftliche Impulse zu geben; dazu zählten die Anlage eines Weinmarkts und die Gründung einer Zinnblechhandelsgesellschaft.

DIE »AMBERGER HOCHZEIT« VON 1474

Zu den prächtigsten Schauspielen, die die Stadt Amberg je sah, gehörte die Vermählung Pfalzgraf Philipps mit der in Amberg geborenen Margarete, Tochter Herzog Ludwigs IX. von Bayern-Landshut, im Februar 1474. Die generalstabsmäßige Planung des Ereignisses dokumentiert die *Ordnung der hochzit pfalzgraff Philips zu Amberg,* die ihrerseits aus verschiedenen einzelnen Ordnungen besteht. Verzeichnet werden die ungeheuren Mengen an Lebensmitteln, die allein aus der Umgebung Ambergs angefordert wurden, wie Ochsen, Kälber, Spanferkel, Frischlinge, Kapaune, Hühner und Eier, Wildbret und Fisch. Hinzu kamen Lieferungen von teuren Gewürzen wie Safran, und Mandeln, Feigen, Rosinen und Essig aus Heidelberg. Daneben galt es, große Mengen an Wein zu beschaffen. Dabei handelte es sich neben teuren Sorten wie *Malvasier,* Wein aus Monemvasia in Griechenland, und *Rainfal,* Wein von Rivoglio in Istrien, vor allem um Frankenwein, von dem allein 100 000 Liter angeliefert wurden.

Die beste Quelle über den Ablauf der Fürstenhochzeit ist der Bericht des Speyerer Bischofs und kurpfälzischen Kanzlers Mathias Ramung an Kurfürst Friedrich I., der nicht persönlich nach Amberg gekommen war. Der Kanzler war zusammen mit dem Bräutigam am 19. Februar 1474 nach Amberg gelangt. Am Sonntag, dem 20. Februar 1474, kam die Braut in der Stadt an. Philipp und Kurfürst Ernst von Sachsen waren Margarete, die 1000 Pferde im Gefolge hatte, entgegengeritten und geleiteten sie in die Stadt, wo sie, die ein mit Gold durchwirktes Kleid trug, noch am Nachmittag vom Regensburger Bischof mit Philipp vermählt wurde. Das anschließende Festmahl fand im kurfürstlichen Schloss statt. Am darauf folgenden Montagmorgen nahm die Braut noch im Bett die Morgengabe sowie weitere Geschenke wie einen silbernen und vergoldeten Becher der Stadt Amberg entgegen. Anschließend folgte der Kirchgang mit der Einsegnung des Brautpaares durch den Regensburger Bischof. Zur Hochzeitsfeier gehörte ein am Dienstagnachmittag auf dem Amberger Marktplatz abgehaltenes prächtiges Turnier.

Nachdem Friedrich II. 1544 seinem kinderlos verstorbenen Bruder, Kurfürst Ludwig V., in der Kurwürde gefolgt war, übernahm ein weiterer Bruder, Pfalzgraf Wolfgang, der ursprünglich für die geistliche Laufbahn vorgesehen war und seit 1524 in Neumarkt regiert hatte, 1544 die Statthalterschaft in Amberg. In seine Amtszeit fällt der Besuch Kaiser Karls V. 1557, der auf der Durchreise hier Station machte. Die Bürgerschaft bereitete dem Kaiser einen glänzenden Empfang; besonders eindrucksvoll waren die 300 Bergleute, die ihn begrüßten.

Kurfürst Friedrich III. griff die pfälzische Tradition wieder auf, dem ältesten und für die Nachfolge in Kurpfalz bestimmten Sohn die Statthalterschaft in Amberg zu übertragen. Mit der Einsetzung des späteren Kurfürsten Ludwig VI. 1563 kam es erneut zu einer Erweiterung des Schlosses. Die *andere Kemenate*, unmittelbar an das *alte hus* anstoßend, entstand als Wohnhaus des Fürsten und seiner Gemahlin Elisabeth von Hessen. Die Hofhaltung des fürstlichen Paares hat immer wieder quellenmäßigen Niederschlag gefunden. So finden sich beispielsweise Johann von Helmstedt als Essenträger und Schweicker von Schauenburg als Weinträger Elisabeths. Bis heute erinnern vier Epitaphien in der St. Martinskirche, die den jung verstorbenen Kindern Ludwigs, Dorothea, Friedrich Philipp, Johann Friedrich und Ludwig, gewidmet sind, an diese Statthalterschaft.

Christian von Anhalt

Frühbarocke Pracht entfaltete sich in Amberg, als mit dem umtriebigen Christian von Anhalt 1595 ein regierender Reichsfürst als Statthalter der Oberpfalz aufzog und vor Ort eine Hofhaltung, die weitgehend mit eigenen Kräften besetzt war, einrichtete. Zu den kulturellen Impulsen, die der Hof ausstrahlte, gehört etwa die Begründung des *Güldenen Palmordens*, einer adeligen Damengesellschaft, durch Anna von Anhalt-Bernburg, die Gemahlin Fürst Christians, nach dem Vorbild der »Fruchtbringenden Gesellschaft«, die ihr Schwager Fürst Ludwig von Anhalt-Köthen 1617 ins Leben gerufen hatte.

In die Zeit seiner Statthalterschaft fällt ein längerer Aufenthalt Kurfürst Friedrichs IV. und seiner Gemahlin Louise Juliane von Oranien-Nassau in Amberg. Friedrich war aufgrund der in Heidelberg herrschenden Pest am 5. Februar 1596 nach Amberg gekommen, wo sich der kurpfälzische Hof bis zum April des Jahres 1598 aufhielt. Dem hinreichend bekannten »Durst« des Kurfürsten trug man vor Ort mit der Beschaffung von 37 Fuhren Wein Rechnung, für die allein der Botenlohn 1280 Gulden betrug.

Am 26. August 1596 notierte der Kurfürst in seinem Tagebuch die Geburt seines Sohnes, des nachmaligen Kurfürsten Friedrich V.; leider »vergaß« er dabei die Erwähnung des Geburtsortes, so dass bis heute nicht mit letzter Sicherheit entschieden werden kann, ob Friedrich in Amberg oder im Jagdschloss Deinschwang das Licht der Welt erblickte. Aus fürstlicher Sicht bildete seine Taufe in der St. Martinskirche den Höhepunkt des Aufenthalts des Herrscherpaars, aus bürgerlicher das große Hauptschießen, das mit Rücksicht auf die Schwangerschaft der Kurfürstin in den September 1596 verlegt worden war.

Landesherrliche Bauten

Neben dem Schloss verfügten die Pfalzgrafen-Kurfürsten in Amberg über eine ganze Reihe von Häusern und Grundstücken und führten weitere Bauten auf. Dazu gehört das Zeughaus, das unter der Regentschaft Kurfürst Philipps 1502 erbaut wurde. 1531/32 lässt sich ein Anbau an dem immer noch als *newpew* bezeichneten Gebäude nachweisen; unter Christian von Anhalt folgte unter Beteiligung des bedeutenden kurpfälzischen Baumeisters Johannes Schoch die Erweiterung der Anlage um den Südflügel, der 1607 vollendet war.

In der Zeit der Statthalterschaft Friedrichs II. wurde 1526 an der höchsten Erhebung der Stadt ein Schmalzstadel errichtet, in den die Untertanen des Landrichteramts Amberg Schmalz und »Dienstgetreide« lieferten und den daneben verschiedene Weinhändler als Weinniederlage nutzten.

Eine in die Zukunft weisende Entscheidung Friedrichs war die Trennung von Hofhaltung und Verwaltung, die er durch die

DAS GROSSE HAUPTSCHIESSEN VON 1596

Nach dem »Freien Armbrustschießen« von 1527 wurde Amberg 1596 zum zweiten Mal Austragungsort eines großen Schießens. Die Teilnehmer und ihre Ergebnisse verzeichnet ein prächtiges Schießbuch, das der Rat von dem *teutschen schuelhalter* Conrad Beck anlegen ließ; eine Beschreibung des Ablaufs erschien ebenfalls auf Weisung des Rats im Druck.

Die Ladungsschreiben der Stadt gingen an »119 Städte und 21 Märkte in der alten, jungen und unteren Pfalz, in Bayern, Österreich, Böhmen, Meißen, Sachsen, Thüringen, in den Markgrafschaften Ansbach und Bayreuth und in Württemberg und an 21 Reichsstädte, darunter Augsburg, Ulm, Nördlingen, Frankfurt, Straßburg, Speyer, Nürnberg, Worms, Regensburg, Magdeburg, Schweinfurt, Hagenau, Köln, Mainz und Trier« (Karl-Otto Ambronn).

Ein prächtiger Schützenzug, der vom Rathaus zum Schießplatz führte, eröffnete am 5. September das Schießen und beendete es am 19. September in gleicher Weise. Die Stadt hatte an Preisgeldern 100 Gulden für den Besten, 60 für den zweit- und 40 für den drittbesten Schützen sowie zehn Gulden für das Ritterschießen, einen Weitestpreis von fünf Gulden für den Schützen mit der weitesten Anreise und seidene Fahnen ausgelobt. Sieger war der aus Freising stammende Michael Stromaier, dem der Siegerkranz, *welcher von Silber und Gold mit Perlen und Edelsteinen gezieret war [...] auf den Kopf gesetzt [wurde].* Der Gewinner des von Kurfürst Friedrich IV. gestifteten silbernen Trinkgeschirrs wurde in einem Nachschießen ermittelt. Er selbst hatte bei dem Hauptschießen den zehnten Platz belegt.

Erbauung der Regierungskanzlei in den Jahren 1544 bis 1547 vollzog. Mit ihr hielt die Renaissance in Amberg Einzug, obgleich Teile des Gebäudes noch der Gotik verpflichtet sind. Der Bauherr und seine junge Gemahlin Dorothea, die die Anwartschaft auf die drei »nordischen« Königreiche in die Ehe gebracht hatte, ließen sich und ihre Wappen auf der Vorderseite des zweistöckigen, zur Straße hin gewandten Erkers darstellen.

Älteste Gesamtansicht der Stadt Amberg, datiert mit der Jahreszahl »1583« und signiert mit dem Monogramm »KP« (Hanns Kannlpaldung)

Der letzte Bau, den der pfälzische Landesherr noch in Amberg aufführen ließ, war das Wagenhaus Kurfürst Friedrichs V. am heutigen Paulanerplatz. Der Renaissancebau, dessen Giebel aufwändig mit Kugeln und Obelisken geschmückt war, wurde nicht vor 1617 fertig gestellt.

Glaube und Kirchen

Im spätmittelterlichen Amberg existierten neben den großen Kirchen St. Georg und St. Martin sowie den dabei befindlichen (Karner-)Kapellen St. Ulrich und St. Leonhard die Spitalkirche, die Hofkapelle und außerhalb der ummauerten Stadt die wohl als Votivkirche erbaute Sebastianskirche sowie zwei Kapellen, die zur geistlichen Betreuung der weiblichen und der männlichen Leprosen entstanden waren. Die Frauensiechen waren in einem Leprosenhaus an der alten Nürnberger, die Mannsiechen an der Regensburger Straße untergebracht. Für Erstere hatte der Amberger Bürger Wolfhart Reich in der zweiten Hälfte des 14. Jhs. eine der hl. Katharina geweihte Kapelle gestiftet, 1513/14 entstand die Dreifaltigkeitskapelle für die Mannsiechen. Bei beiden Kirchen existierten Friedhöfe zur Aufnahme der verstorbenen Leprosen. Da die innerstädtischen Friedhöfe nicht mehr ausreichten, kam es 1566 zur Erweiterung des Friedhofs bei St. Katharina zur Beisetzung der Verstorbenen aus der oberen, 1580 des Friedhofs bei der Dreifaltigkeit zur Beisetzung derjenigen aus der unteren Stadt; die Vils bildete die Grenze.

In den Amberger Kirchen waren jeweils neben dem Hauptbenefizium eine ganze Reihe von weiteren Messstiftungen vorgenommen worden. Am besten fassbar ist dies in St. Martin, wo die großen Amberger Geschlechter in ihren Kapellen Messen gestiftet hatten. Das Visitationsprotokoll von 1508 zeigt, dass in den Kirchen der Stadt insgesamt 49 Messstiftungen bestanden, die meisten davon in St. Martin. Selbst in der im Vergleich zur Martinskirche kleinen Spitalkirche wirkten vier Geistliche als Inhaber der Schlaffer-, St. Johannes-, Engel- und der Katharinenmesse im Spital. Die Inhaber aller dieser Messen bildeten eine Priesterbruderschaft, deren Mitglieder zum täglichen Chorgebet in der Martinskirche zusammen kamen.

Der Bruderschafts-Gedanke war darüber hinaus sehr verbreitet; es gab sie bei den Schiffmeistern, den Fischern und den Schneidern. Darüber hinaus entstanden Fraternitäten, die nicht ausschließlich einzelnen Zünften und ihren Mitgliedern offen standen, wie die Anna- oder die Rosenkranzbruderschaft, die der Vertiefung der Frömmigkeit durch die Förderung des Rosenkranzgebets dienen sollte.

Das klösterliche Leben nahm in Amberg einen eher bescheidenen Raum ein. So lässt sich um 1400 ein Haus der Barfüßer nachweisen, zu einer regulären Gründung der Franziskaner in Amberg kam es aber erst 1451 (oder 1452). Nach einer Predigt des Johannes von Capestrano schenkte ihnen der Amberger Bürger Johannes Pachmann sein Haus samt Nebengebäuden und einer Wiese an der Vils zum Klosterbau. Schon im November 1453 konnten das Kloster und zwei Altäre geweiht werden, während noch in den Jahren 1514 bis 1516 am Kreuzgang gebaut wurde.

Das evangelische Amberg

Die Ratsreformation von 1538
Nachdem die »neue« Lehre in Nürnberg 1524/25 Einzug gehalten hatte, war es nur eine Frage der Zeit, bis sich die führenden Schichten Ambergs aufgrund ihrer familiären, gesellschaftlichen und wirtschaftlichen Beziehungen zur Reichsstadt dem Luthertum zuwandten. Es bestand aber auch ein direkter Kontakt Ambergs zu den Reformatoren Dr. Martin Luther und Philipp Melanchthon in Wittenberg, der über den am 24. Februar 1497 in Amberg geborenen Sebastian Fröschel lief. Dieser gehörte seit 1522 zum engeren Kreis um Luther in Wittenberg; »das persönliche Beziehungsgeflecht des Reformators ragte also nach Amberg« (Volker Press).

Die Magistratswahl von 1538 bildete »einen Markstein in der Entwicklung der Amberger Verhältnisse [...], wobei offenkundig Lutheraner in respektabler Stärke in den Rat der Stadt einrückten« (Peter Schmid). Dieser wandte sich direkt an Luther und Melanchthon in Wittenberg und suchte, wie aus deren Antwortschreiben vom 30. Oktober 1538 hervorgeht, *vmb ein christlichen praedicanten* nach. Die Reformatoren empfahlen den Salzburger Andreas Hügel, der *verstendig, ser wol gelert, gottsforchtig und eins ehrlichen wesens* war. Gegen ihn sprach nur, *das die person nicht ansehelich und die stim nicht so groß sein möcht, als in einer grossen kirchen wol gezimmet.* Trotz der »Mängel« entschied sich der Amberger Rat für Hügel, der am dritten Adventssonntag, dem 15. Dezember 1538, erstmals in der Spitalkirche das Wort Gottes verkündete; seine Anstellung als Spitalprediger erfolgte am 1. Februar 1539.

Damit war die Initiative zur Einführung der Reformation eindeutig vom Rat der Stadt Amberg ausgegangen und nicht etwa vom Landesherrn; ein sensationeller und geradezu revolutionärer Vorgang der selbstbewussten Stadt. Freilich stieß das Vorgehen des Rates nicht überall auf Zustimmung. Entschiedene Gegner des evangelischen Prädikanten waren Stadtpfarrer Georg Helbling und der Guardian des Franziskanerklosters, Franz Rock. Druck kam ebenso von der Regierung in Neumarkt, wo Pfalzgraf Friedrich II. als Statthalter residierte. Deshalb sah sich der Rat gezwungen, Hügel im September 1539 auszuweisen. Damit war zwar die erste Welle der Reformation in Amberg gescheitert; sie ließ sich aber nicht mehr zum Verstummen bringen.

Mit verantwortlich für die weitere Entwicklung waren der Landesherr, Kurfürst Ludwig V., und sein Bruder, Pfalzgraf Friedrich II., der als Statthalter in der Oberpfalz residierte, wenngleich zunächst überwiegend in Neumarkt. Beide wirkten in der Frage des rechten Glaubens merkwürdig unentschlossen. So erstaunt es nicht, dass das Jahr 1544 mit dem Regierungsantritt Friedrichs in Heidelberg und dem Beginn der Statthalterschaft seines evangelisch-lutherisch gesinnten Bruders Wolfgang entscheidend für die Einführung der Reformation in Amberg wurde. Am 16. August gelang es den evangelischen Kräften vor Ort, die St. Martinskirche in Besitz zu nehmen und Pfarrer Georg Helbling auf die St. Georgskirche zu beschränken. Letzterer blieb bis zu seinem Tod 1553 ein entschiedener Anwalt der alten Kirche, der bis zuletzt katholische Gottesdienste feierte und sogar noch die Fronleichnamsprozession abhielt. Nach seinem Tod handelte der Rat rasch: Er besetzte den Pfarrhof mit dem evangelischen Prädikanten Wolfgang Strasser und *schaffte* die alten Zeremonien *ab*.

Ein »eindrucksvolles Denkmal der Amberger Ratsreformation« (Volker Press) war die Einführung einer eigenen Amberger Kirchenordnung 1554. Dazu hatte Sebastian Fröschel seiner Vaterstadt die Wittenberger Ordnung zukommen lassen, auf deren Basis der Pfarrer Peter Kezmann eine Amberger Entsprechung erstellte, die schließlich Philipp Melanchthon in Form eines Gutachtens verbesserte. Durch die Redaktion Melanchthons konnte sich die Stadt auf dessen Autorität berufen. Dass die Kirchenordnung nur einige Jahre Bestand hatte – sie musste 1557 der Kirchenordnung Kurfürst Ottheinrichs angepasst werden –, »tat dem Selbstbewußtsein der Amberger wenig Abbruch« (Volker Press). Noch im selben Jahr ließ der Kurfürst sämtliche Bildwerke und Seitenaltäre der Martinskirche entfernen.

Die Einführung des Calvinismus unter Kurfürst Friedrich III.

Schwierig gestalteten sich die Verhältnisse unter dem Nachfolger des kinderlos verstorbenen Kurfürsten Ottheinrich, Friedrich III., der seit 1556/57 als Statthalter in der Oberpfalz gewirkt hatte. Davon ahnte die Stadt Amberg freilich noch nichts, als er 1559 erstmals als Kurfürst in die Stadt einritt. Dabei überreichte ihm Bürgermeister Michael Schweiger ein Exemplar seiner Chronik, die zunächst unbeachtet in der Kanzlei des Fürsten verschwand. Der Leiter der Lateinschule, Georg Agricola, der seit seinem Studium in Wittenberg mit Melanchthon freundschaftlich verbunden war, begrüßte den hohen Gast mit einer lateinischen Lobrede, die maßgeblich auf Schweigers Chronik fußt. Ihre Drucklegung gegen den erklärten Willen des Autors 1564 in Wittenberg durch den Arzt Caspar Peucer rief den Kurfürsten auf den Plan, der die Position der Kurpfalz durch das Werk beeinträchtigt sah, worauf die Amberger Regierung Schweiger stark bedrängte.

Die Probleme zwischen Stadt und Landesherrn hatten begonnen, als sich der Kurfürst 1560/61 dem calvinischen Bekenntnis zuwandte. Ausgehend vom »Augsburger Religionsfrieden« des Jahres 1555 machte sich Friedrich daran, den Calvinismus in der Rheinpfalz wie in der Oberpfalz durchzusetzen, wobei sich in Ersterer im Gegensatz zur Oberpfalz nur geringer Widerstand gegen die Religionspolitik des Fürsten regte. In der Oberpfalz entwickelte sich das »evangelische Amberg« zum Zentrum des Widerstandes.

Reichsrechtlich war die Vorgehensweise Friedrichs dadurch prekär, dass der »Augsburger Religionsfrieden« den Ausgleich zwischen katholischem und evangelischem Bekenntnis zu schaffen suchte, den Calvinismus aber nicht thematisierte. Folgerichtig bezeichnete Friedrich »seine« Lehre als evangelisch, nie als calvinistisch. Politisch wurde die Situation in der Oberpfalz dadurch erschwert, dass von 1563 bis 1576 der älteste Sohn und Nachfolger Friedrichs III., der nachmalige Kurfürst Ludwig VI., als Statthalter in Amberg residierte. Er hatte seine religiöse Erziehung noch vor der Hinwendung des Vaters zum Calvinismus erfahren und blieb, unterstützt von seiner energischen Gemahlin, Elisabeth von Hessen, der evangelisch-lutherischen Lehre treu.

Mit einer ganzen Reihe von Maßnahmen suchte Friedrich die Anerkennung seines Bekenntnisses durchzusetzen. Dazu gehörten die Einrichtung eines calvinischen Pädagogiums 1566, einer höheren Schule, die enorme Aufstiegschancen bot, und die Entlassung lutherischer Räte der Regierung Amberg sowie die *Abschaffung* lutherischer Prädikanten in der Stadt, darunter Peter Kezmann. Die Radikalität des reformierten Bekenntnisses erschreckte die Bevölkerung Ambergs zutiefst. Augenscheinliche Beispiele waren die vollständige Ausräumung der Martinskirche und die Zerstörung ihrer Fresken 1568/69, von denen heute nur noch ein kleiner Teil vorhanden ist, und die Zerschlagung der Heiligenfiguren, die das Westportal der St. Georgskirche geziert hatten.

Die Stadt hielt mit ihrer Kritik nicht hinter dem Berg. Sie scheint sogar in der Kunst auf, wie das so genannte Schweiger-relief zeigt, eine Ätzung auf einer Solnhofener Kalksteinplatte mit dem Titel *Die Stadt Amberg uff 6 meil wegs herumb mit allen schlössern, städten, märkten und dörfern* von der Hand des Zimmermanns Georg Schweiger aus dem Jahr 1607. Die Platte überliefert neben der Stadt und ihrer Umgebung verschiedene szenische Darstellungen wie eine fürstliche Jagd im Hirschwald und darunter – diese gleichsam kontrastierend – Jesus als Guten Hirten, der die Schafe gegen Wölfe verteidigt.

Das Festhalten am evangelischen Bekenntnis fand, wie die Texte des Stadtkämmerers Leonhard Müntzer zeigen, sogar literarischen Niederschlag.

Vor dem Hintergrund der schroffen Auseinandersetzung mit Kurfürst Friedrich III. reagierte die Stadt mit Erleichterung, als 1576 die Kunde von seinem Tod eintraf. Unter seinem Nachfolger, »dem grüblerischen und zögernden« (Volker Press) Kurfürsten Ludwig VI., setzte zunächst eine Phase der Entspannung ein, wenngleich in dieser die Auseinandersetzungen ebenfalls nicht ausblieben. Signifikant wurden die unterschiedlichen Positionen von Fürst und Stadt, als Ludwig 1577 die Konkordienformel und 1580 das Konkordienbuch unterschrieb. Beide schlossen praktisch die philippistische Richtung

LEONHARD MÜNTZER

Müntzer wurde am 8. Juni 1538 geboren, also in dem Jahr – wie er selbst schreibt –, in dem *das heilig euangelium erstmals alhir zu Amberg zupredigen ist angefangen worden.* Leonhard Müntzer, der einer sehr angesehenen Familie entstammte, erhielt am 16. Dezember 1560 das Amberger Bürgerrecht. In den Jahren 1566 bis 1574 fungierte er jeweils als einer der Amtsbürgermeister, von 1567 bis zu seinem Tod 1588 als Stadtkämmerer und Verwalter des Gemeinen Almosens, einer Amberger Wohltätigkeitsstiftung.

In die von ihm geführten Rechnungen der Stadtkammer und des Almosenkastens nahm er eine Vielzahl von selbst geschriebenen Gedichten auf. Das Gesamtwerk umfasst an die 1000 Texte, die »vom ein- oder zweizeiligen (lateinischen oder deutschen) Sinn- oder Bibelspruch [...], von der einzeiligen Bitte [...], Lobpreisung oder Anrufung [...] über kürzere Bitt- oder Dankgebete, Psalmen- und Evangelienparaphrasen bis zu vielstrophigen Liedern« (Manfred Knedlik) reichen.

Müntzers gesamtes literarisches Schaffen ist von seinem tiefen evangelisch-lutherischen Glauben geprägt. Daneben verarbeitete er gelegentlich zeitgeschichtliche Aspekte etwa im Zusammenhang mit dem Regierungsantritt Kurfürst Ludwigs VI. 1577, dessen Tod 1583 und dem damit erneut drohenden Wechsel zum calvinischen Bekenntnis.

der Reformation, also die Melanchthons, mehr oder weniger aus. Dagegen wandten sich die Amberger Theologen, allen voran Martin Schalling und Martin Oberndorfer, ganz entschieden. Als Ludwig VI. 1583 völlig unerwartet starb, wurde für seinen Sohn und Nachfolger, den am 5. März 1574 in Amberg geborenen Kurfürsten Friedrich IV., eine Administration eingerichtet, an deren Spitze der Bruder Ludwigs, Pfalzgraf Johann Casimir, trat. Dieser war ein überzeugter Calviner, der die rücksichtslose Politik Friedrichs III. wieder aufnahm. Seine Religionspolitik stieß auf Widerstand und Verbitterung in Amberg und der Oberpfalz. Nach seinem Tod kam es zur Eskalation.

Friedrich IV. leitete eine Verschärfung der Religionspolitik ein, wodurch es zu starken Spannungen zwischen Stadt und

DAS »AMBERGER LÄRMEN« VON 1592/97

Da man in Amberg erneut eine calvinische Vormundschaft für den noch unmündigen Friedrich und ein militärisches Vorgehen der Regierung gegen die Stadt befürchtete, erhob sich 1592 die Bürgerschaft gegen die Regierung, die nach Neumarkt floh. Dabei kam es unter anderem zum Abbruch der Brücken zum Schloss, der Vermauerung der Schlosstore sowie zur Besetzung des Zwingers und des Fuchssteiner Turms. Letzterer verdankt diesen Namen seinem ersten Arrestanten, dem ungetreuen Kanzler Kurfürst Ludwigs V., Dr. Johann von Fuchsstein.

Die Reaktion ließ relativ lange auf sich warten und bestand zunächst in der Amtsenthebung der Bürgermeister und Räte und der Neubesetzung von deren Stellen durch Kurfürst Friedrich IV. im Oktober 1597. In einem nächsten Schritt gab er der Stadt eine *wol dienliche nötige sazung*, mit der er die städtischen Autonomierechte gravierend beschnitt. Betroffen davon waren die Ratswahl und die Besetzung der städtischen Ämter, die Erhebung der Stadtsteuer sowie das städtische Rechnungswesen.

Landesherrschaft kam. Äußerlich ging es um religiöse Fragen wie die Berufung von evangelischen oder reformierten Prädikanten, im Inneren um die Durchsetzung der Ansprüche des Landesherrn gegenüber der selbstbewussten Stadt, deren Autonomie zur Disposition stand. Wie sein kurfürstlicher Herr war der Statthalter Christian von Anhalt ebenfalls überzeugter Calviner, aber, »durch ein seltenes Maß von bezwingender Liebenswürdigkeit und wendigster Geschmeidigkeit« (Friedrich Hermann Schubert) geprägt, weniger schroff in der Vorgehensweise.

Friedrich V. und das Ende der pfälzischen Herrschaft

Für die ersten vier Jahre der Herrschaft Kurfürst Friedrichs V., der 1610 seinem Vater, dem im Alter von nur 36 Jahren verstorbenen Kurfürsten Friedrich IV., nachgefolgt war, bestand eine vormundschaftliche Regierung. Während dieser gelang es dem Amberger Statthalter Christian von Anhalt, seinen Einfluss

Das Amberger Lärmen von 1592 und der Tumult in Tirschenreuth, bei dem der Stiftshauptmann Valentin Winsheim getötet wurde. – Kupferstich um 1600

auf die pfälzische Politik beträchtlich auszubauen, wobei er die Verhältnisse vor Ort und in der Oberpfalz vernachlässigte. Sein Hof in Amberg wurde zusehends zum Mittelpunkt europäischer Politik. Christian war es, der die glückliche Ehe Friedrichs mit Elizabeth Stuart, der Tochter des englischen Königs Jakobs I., angebahnt hatte, die 1613 in London geschlossen wurde. Sie bedeutete einen enormen Aufstieg Friedrichs im europäischen Hochadel.

1615 kam der junge Kurfürst mit seiner Gemahlin zu einer Huldigungsreise in die Oberpfalz. Zur Begrüßung hatte der Amberger Rat eine prächtige Triumph- und Ehrenpforte in der Hofgasse, der heutigen Regierungsstraße, aufstellen lassen.

Obwohl sich Friedrich nicht regelmäßig in Amberg aufhielt, war das hiesige Schloss doch wiederholt Schauplatz wichtiger Entscheidungen in seinem Leben, und das lag nicht zuletzt an den diplomatischen Bemühungen des Statthalters, der seinem Herrn die Annahme der Böhmischen Krone in den Bereich des Möglichen gerückt hatte.

So erfuhr Friedrich am 23. August 1619 in Amberg von der am Tag zuvor erfolgten Absetzung des Habsburgers Ferdinand als König von Böhmen und am 29. August, dem Geburtstag seiner Gemahlin, von seiner eigenen Wahl. Nachdem er sich am 28. September 1619 in Heidelberg zur Annahme der Krone entschieden hatte, brach er dort am 12. Oktober in einem angeblichen Gewaltritt nach Amberg auf, den die beiden Läufer, die ihn begleiteten, und das Pferd, auf dem er ritt, nicht überlebt haben sollen. Zusammen mit seiner Gemahlin reiste er von hier aus am 21. Oktober mit 100 Wagen und beinahe 600 Personen nach Prag.

Mit der Annahme der Wenzelskrone hatte Friedrich eine Entscheidung getroffen, die sich nicht nur für sein Leben, sondern für die Oberpfalz und ganz Europa verhängnisvoll auswirken sollte: Schon ein Jahr später sollte die Schlacht am Weißen Berg seinen hochfliegenden Hoffnungen ein abruptes Ende bereiten.

SCHLACHT AM WEISSEN BERG

In der Schlacht am Weißen Berg unweit Prags wurden die pfälzisch-böhmischen Truppen unter dem Kommando Christians von Anhalt am 8. November 1620 von den Truppen der katholischen Liga vernichtend besiegt. Friedrich V. musste aus Böhmen fliehen, während Ferdinand II. seinen Anspruch auf die böhmische Krone durchsetzen konnte.

Die Schlacht war – obwohl die Jahreszeit dafür schon ungünstig war – geschlagen worden, da beide Seiten eine Entscheidung suchten. Der bisherige Verlauf des Vorrückens der Kaiserlichen unter Karl Bonaventura Graf von Bucquoy und der verbündeten Katholischen Liga, die Herzog Maximilian I. und sein Feldherr Graf von Tilly anführten, war unbefriedigend verlaufen, da sich die Kontingente teilweise über die Kriegsziele uneins waren. Ein weiterer Faktor, der gegen die Eröffnung der Schlacht sprach, die deshalb von Bucquoy abgelehnt worden war, bestand in dem Gelände, das die Truppen der katholischen Liga zwang, von unten nach oben zu kämpfen.

Nach der Schlacht floh Friedrich, der daran nicht teilgenommen hatte, von Prag über Breslau und Berlin zu den oranischen Verwandten seiner Mutter in die Niederlande. Eine ganze Flut von Flugschriften »kürte« Friedrich zum »Winterkönig« und machte ihn so zu einer der wenigen Persönlichkeiten, die unter ihrem Spottnamen in die Geschichte eingingen. Bereits am 21. Januar 1621 verhängte Kaiser Ferdinand II. über Friedrich die Reichsacht, wodurch er aller seiner Gebiete verlustig ging. Das galt natürlich ebenso für das pfälzische Nebenterritorium der »heroberen Pfalz in Bayern« und ihre Hauptstadt Amberg. Die im Hausvertrag von Pavia 1329 begonnene pfälzische Herrschaft war Geschichte.

Die kurbayerische Stadt:
Amberg von 1623 bis 1805

Herrschaftsübergang und Rekatholisierung

Die Folgen der pfälzisch-böhmischen Niederlage 1620 wurden für Amberg und die Oberpfalz erst allmählich fassbar; dies ist vor allem dem stufenweise erfolgenden Übergang von der pfälzischen zur bayerischen Herrschaft und der damit einhergehenden Rekatholisierung und Gegenreformation geschuldet.

Der bayerische Herzog Maximilian I. kam am 30. September 1621 als kaiserlicher Kommissar in die Oberpfalz, ohne damit über landesherrliche Rechte zu verfügen. Der Herrschaftsübergang Ambergs von der Kurpfalz zu Bayern begann am 8. Oktober 1621. Während Oberst de Herzelles bei der Amberger Regierung vorsprach, rückten die Truppen Maximilians auf die Stadt vor. Herzelles bat um Öffnung der Stadt und Aufnahme einer Garnison. Im Gegenzug sagte er zu, dass *rhäte, diener alß auch bürgermeister vnd rhät und ganze bürgerschafft bey ihren vorigen pflichten gelassen, und nichts, weder in weltlichen noch in geistlichen sachen geändert, sondern auch bey den privilegien [...] freyheitten [...] alles [...] in vorigem standt gelassen werden solle.* Die Regierung beugte sich dem Druck und sandte mit Herzelles gleich Regimentsrat Dr. Gallus Olympius, Bürgermeister Kaspar Maier und Stadtsyndicus Heinrich Salmuth zu Maximilians Quartier im Schloss Moos. Noch am Nachmittag des gleichen Tages rückten die ersten bayerischen Truppen in die Stadt ein. Während ihr Kommandeur, Oberst Levin de Mortaigne, Quartier im Amberger Schloss nahm, wurden seine Soldaten bei der Bürgerschaft untergebracht.

Die Amberger Regierung schlug die Entwaffnung der Bevölkerung vor, da sie darin ein probates Mittel zur Truppenreduzierung und damit letztlich zu deren Erleichterung sah. Maximilian griff den Vorschlag im November des Jahres 1621 auf; die Bürgerschaft sollte Wehr und Harnisch abgeben. Maximilian drängte zu großer Eile, damit man nicht einen doppelten

Feind habe, die Pfälzer und das *stadische Volk*, wobei man von Letzterem nicht wisse, wo es den Kopf hinstecken werde. Die Maßnahme, bei der eine ansehnliche Menge an Waffen zusammengekommen war, endete am 24. November 1621.

Trotz der Zusage Maximilians, die Garnison nach dem Abschluss der Entwaffnung zu verringern, klagten Bürgermeister und Rat noch Ende des Jahres 1621 bitterlich über die herrschenden Verhältnisse. So waren allein im Spitalviertel 273 Mann, 49 Frauen, 7 Kinder und 22 Pferde untergebracht worden. Dies führte zu drangvoller Enge und zu großen sittlichen Problemen; Frauen und Mädchen waren dem Zugriff der Besatzer praktisch schutzlos ausgeliefert.

Auffällig ist in der Folgezeit »die Parallelität der politisch-juristischen und der kirchlichen Vorgänge« (Walter Ziegler). Als kaiserlicher Kommissar nahm Maximilian keine Eingriffe in die religiösen Verhältnisse vor. Anders verhielt es sich, nachdem er am 25. Februar 1623 mit der pfälzischen Kurwürde auf Lebenszeit belehnt worden war und die Oberpfalz und Oberösterreich am 6. April 1623 mit dem Regensburger Rezess in seinen Pfandbesitz übergegangen waren. 1624 wurden die ersten calvinischen Geistlichen, 1625 die nicht katholischen Beamten und 1626 alle reformierten Kleriker entlassen. Als die bayerische Kurwürde erblich geworden war und die Oberpfalz am 22. Februar 1628 nach dem Verzicht Maximilians auf Oberösterreich an Bayern fiel, erging zwei Tage später ein Mandat, das die Annahme des katholischen Glaubens forderte. Am 4. März 1628, dem Tag der Lehensübertragung der Oberpfalz und der Übertragung der erblichen Kurwürde an Maximilian, erließ er ein Bücherverbrennungsmandat. Am 29. Juni 1630 wurden daraufhin 11 183 »unkatholische« Bücher, die durch die Regierung in der gesamten Oberpfalz eingesammelt und nach Amberg verbracht worden waren, auf der »Zimmerwiese« vor der Stadt in Gegenwart der Gymnasiasten, die dazu schulfrei bekommen hatten, »im Rahmen eines ritualisierten ›Strafschauspiels‹ verbrannt« (Matthias Schöberl). Ins Feuer kam neben einigen theologischen Texten vor allem religiöse Gebrauchsliteratur wie lutherische und calvinische Katechismen, der Psalter des Ambrosius Lobwasser sowie Biografien von Martin Luther und Johannes Hus. Fast die Hälfte der kassierten Bücher, 5223 Stück, stammte aus Amberger Haushalten. Ein kleiner Teil des konfiszierten Materials, 800 Bände mit ca. 2000 Werken, hat sich beim »theologischen« Gegner, den Amberger Jesuiten, erhalten, die sie als Libri haeretici, Ketzerbücher, in ihre Bibliothek übernahmen.

Wenige Wochen nach dem Bücherverbrennungsmandat, am 27. April 1628, erließ Maximilian ein drakonisches Religionspatent, das die Untertanen zur Annahme des katholischen Glaubens oder zur Auswanderung binnen eines halben Jahres verpflichtete. Dieser Konversionsbefehl brachte große Unruhe in die Amberger Oberschicht und veranlasste eine ganze Reihe führender Bürger zur Emigration. Freilich griff die Maßnahme nicht überall so rasch, wie man gehofft hatte; so lassen sich im Januar 1629 noch 530 Evangelische in Amberg nachweisen. Die endgültige reichsrechtliche Übertragung der Oberpfalz an Kurbayern geschah im Frieden von Münster und Osnabrück, am 24. Oktober 1648.

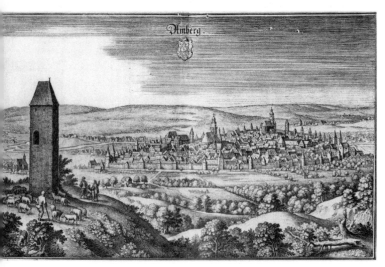

Gesamtansicht der Stadt Amberg. – Kupferstich von Matthäus Merian aus der »Topographia Bavariae« 1644

Stadtregiment und Konfessionalisierung

Die durch Kurfürst Friedrich IV. als Folge des »Amberger Lärmens« von 1592 (s. S. 62) vorgenommene paritätische Besetzung der vier Bürgermeisterstellen mit je zwei Vertretern der lutherischen und der reformierten Glaubensrichtung hatte nicht zur Beruhigung der religiösen Spannungen geführt. Dies lag vor allem daran, dass der vorgegebene Proporz der konfessionellen Zusammensetzung der Bürgerschaft, die immer noch überwiegend lutherisch war, in keiner Weise entsprach und die kleine calvinische Gemeinde Ambergs mit etwas mehr als 30 Mitgliedern deutlich überrepräsentierte.

Da der lutherische Bürgermeister Kaspar Maier in die Verhandlungen mit Herzog Maximilian I. eingebunden war und die bayerische Politik zunächst vor allem auf die Ausschaltung reformierter Amtsträger abzielte, erfuhr der lutherische Anteil am Stadtregiment mit der bayerischen Besetzung Ambergs im Oktober 1621 eine deutliche Stärkung. Bei der Ratswahl von 1626 schied mit Georg Kotz »der letzte im Bürgermeisteramt verbliebene Calvinist aus«; gleichzeitig wurde mit Luthulf Gernhard der erste Katholik in das Bürgermeistergremium gewählt; mit Franz Hagenbach war nur noch ein reformiertes Mitglied im Inneren Rat.

Nach dem endgültigen Herrschaftsübergang der »Oberen Pfalz« an Bayern 1628 beauftragte die Amberger Regierung Bürgermeister Gernhard, seine nicht-katholischen Kollegen und Ratsmitglieder über ihre Bereitschaft zum Übertritt zu dieser Religion zu befragen. Während die Erhebung vom 30. März 1628 nur eine geringe Bereitschaft zur Konversion erkennen lässt, zeigt das Ergebnis der Ratswahl vom 14. September 1628, bei der die Regierung eine von ihr ausgearbeitete, fertige Liste vorlegte, dass ein Großteil der Ratsmitglieder, die zuvor einen Übertritt zur katholischen Religion ausgeschlossen hatten, im Gegensatz zu den sehr vermögenden Amberger Geschlechtern nun doch konvertiert war.

Die katholische Reform: Jesuiten und Franziskaner

Während der Landesherr auf die Durchsetzung der Rekatholisierung drängte, suchten die Orden die Herzen der Menschen für den »alten« Glauben mit Mitteln der katholischen Reform zu gewinnen. Im Falle Ambergs sind hier vor allem die Jesuiten und die Franziskaner zu nennen.

Nachdem sie als katholische Feldgeistliche angekommen waren, widmeten sich die Jesuiten neben der Militärseelsorge von Anfang an der Rückführung der protestantischen, zum Teil calvinischen Stadt zum katholischen Bekenntnis. Sie fanden im Schloss eine erste Bleibe, wo sie im großen Saal ihre Gottesdienste feierten. Das von den Jesuiten gepflegte *theatrum sacrum*, das heilige Theater, zog auch in Amberg die Bevölkerung an, ohne dass damit eine Konversion einhergegangen wäre.

1623 ließ Maximilian weitere Jesuiten nachkommen und übergab ihnen die Frauen- und die Georgskirche; Erstere nutzten sie als Werktags-, Letztere als Sonntagskirche. Sie selbst verließen das Schloss und bezogen 1624 den Pfarrhof von St. Georg. 1626 eröffneten sie, den Maximen ihres Ordens zur Erziehung der männlichen Jugend im Glauben folgend, ein Gymnasium. Nach dem endgültigen Herrschaftsübergang der Oberpfalz an Kurbayern fiel die Entscheidung, die Amberger Niederlassung in den Rang eines Kollegs zu erheben. Die finanzielle Basis für das Wirken der Jesuiten bildeten gemäß den Amberger Rezessen vom 21. Februar 1629 und 5. November 1630 teilweise die Einkünfte der in der Reformationszeit säkularisierten Oberpfälzer Klöster; 1631 wurde das ehemalige Kloster Kastl dem Amberger Kolleg und Seminar der Jesuiten inkorporiert.

Es ist nicht ganz eindeutig, ob die Franziskaner schon 1626 oder erst 1627 in ihr angestammtes Kloster an der Vils zurückkehren konnten, das sie 1555 hatten verlassen müssen. Die Wiederansiedlung war auf Bitten des Kurfürsten bei Papst Urban VIII. erfolgt, der am 26. März 1624 verfügte, dass die Ansiedlung dem neuen Zweig der Reformaten der bayerischen Provinz unterstellt sein sollte. Zu den ersten Neuankömmlingen gehörte Pater Martin Leo, ein ehemaliger Lutheraner, von dem es im Totenbuch der Bayerischen Franziskanerprovinz heißt: [...] *Guardian, Definitor und Custos, hervorragend durch Klugheit und Geschicklichkeit, der Apostel von Amberg genannt, weil er über 1000 Andersgläubige zur katholischen Kirche zurückführte;* wobei die Zahl mit Sicherheit zu hoch gegriffen ist.

Während die Jesuiten sich der studierenden Jugend widmeten, wirkten die Franziskaner als Seelsorger der »kleinen Leute«, der Armen und Kranken. Dabei setzten sie vor allem auf die Macht der Predigt; so hielten noch im Jahr der Klosteraufhebung 30 bis 40 Patres mehr als 300 Predigten und nahmen über 50 000 Beichten ab. Hinzu kommt, dass die Franziskaner seit 1697 die Wallfahrtsseelsorge auf dem Mariahilfberg innehatten, wo sie 1698 ihr Hospiz beziehen konnten.

Die wirtschaftliche Lage

Obwohl Amberg im Dreißigjährigen Krieg weder belagert noch erobert wurde, war die wirtschaftliche Lage der Stadt bei Kriegsende katastrophal. Einer der Gründe, der früher ausschließlich dafür ins Feld geführt wurde, war die durch die Religionspolitik Maximilians erzwungene Emigration finanzstarker Amberger Bürger. Sie spielte sicherlich eine Rolle, war aber nicht allein ausschlaggebend. Mehrere Faktoren kamen hinzu: Der Bergbau war zum Erliegen gekommen, die Hammereinung, die 1626 nicht mehr verlängert worden war, ausgelaufen. Viele Hammerwerke waren durch Kriegseinwirkungen zerstört worden; so produzierten von 83 Schien-, Blech- und Drahthämmern 1666 nur noch 29. Da die benötigten Schwarzbleche von den Hammerwerken nicht mehr geliefert werden konnten, erlebte die Zinnblechhandelsgesellschaft, die zu den Zweigen gehörte, die die Amberger Wirtschaft noch am Laufen gehalten hatten, ebenfalls einen starken Einbruch. Darüber hinaus hatte Amberg seine Bedeutung als Handelsstadt weitgehend eingebüßt. Dies bezieht sich auf den Eisen- wie auf den Salzhandel, der nach 1628 vor allem darunter litt, dass der kurbayerische Staat immer größere

Abnahmemengen vorschrieb. Das einzige Unternehmer, das am Ende des Dreißigjährigen Krieges noch in Blüte stand, war die Weißbräugesellschaft.

DIE WEISSBRÄUGESELLSCHAFT

Die Erzeugung von »Weißem Bier« war ein Monopol des Landesherrn. Deshalb bedurfte sie einer Konzession, die Kurfürst Friedrich V. der Amberger Weißbräugesellschaft mit der Ratifizierung der *Weißen Bier- und Bräuordnung* am 26. Oktober 1617 verlieh. Die Gesellschaft hatte bereits im März 1617 in der Oberen Nabburger Straße ein Grundstück mit Behausung, Malzstadel und großem Garten zum Bau eines Brauhauses erworben. Im Gründungsjahr traten ihr 75 Einleger mit je 25 Gulden bei. Das darüber hinaus noch benötigte Gründungskapital konnte mit Darlehen aufgebracht werden.

Die Amberger Weißbräugesellschaft erlebte in den Jahren 1630 bis 1650 – begünstigt durch den kriegsbedingten Wegfall vieler Braustätten außerhalb der Stadt – eine ausgesprochene Blütezeit; 1648/49 erzielte sie eine Dividende von 113 Prozent. Im letzten Drittel des 18. Jhs. veränderte sich das Bild jedoch: Eine Minderung der Produktionsmenge des obergärigen Weißbiers zugunsten des untergärigen Braunbiers wird häufig mit einem Geschmackswechsel in Zusammenhang gebracht. Hinzu kam, dass die Anlage von Bierkellern für das Braunbier die brautechnische Überlegenheit des Weißbiers inzwischen wettmachte, da Ersteres nun seinerseits länger gelagert werden konnte. Eine weitere Beeinträchtigung bedeutete darüber hinaus der Import von Weißbier anderer Brauereien nach Amberg; besonders verheerend wirkte sich die Konzession aus, die Anna Maria Merkl, die Inhaberin des Brauhauses in Freudenberg, 1785 erhielt, da die Amberger von nun an ihr Bier bevorzugten.

Nach der Beseitigung des Kommunbraurechts 1807 und der schwierig gewordenen wirtschaftlichen Situation verließen viele Amberger Bürger mit ihren Einlagen die Weißbräugesellschaft. Sie wurde in ein gewöhnliches privatwirtschaftliches Unternehmen umgewandelt, das 1824 als »Amberger Weißbrauhaus Gesellschaft im unfürdenklichen Besitz auf Aktien« firmierte.

Oberpfälzer Barockhauptstadt

Jesuitenkirche und -kolleg

In Bayern ist der Barock besonders in der sakralen Baukunst vertreten. In Amberg hielt er mit den Jesuiten Einzug und kann so als Kunstrichtung der Gegenreformation bezeichnet werden. Am 23. Februar 1629 entschieden sich die Jesuiten für St. Georg als zukünftiger Kollegkirche, weshalb die pfarrlichen Rechte auf St. Martin übertragen werden mussten. Da der Kirchenraum der hochgotischen Basilika aber den Vorstellungen der Jesuiten nicht entsprach, baten sie den Kurfürsten um Erlaubnis zu deren Abriss, den Maximilian ablehnte. Deshalb mussten die Jesuiten andere Wege gehen, um eine Umgestaltung der Georgskirche zu erreichen: *Tota aedes eleganter dealbata*, die Ausgestaltung des gesamten Gebäudes in erlesenem Weiß, durch den italienischen Baumeister Franceso Garbanini 1652 war der erste Schritt zur Barockisierung. Die Maßnahme vollzog »die Verwandlung vom mystisch-dunklen mittelalterlichen Raumbild zum hellen Raumbild des Barock« (Sixtus Lampl). 1694 legte der Jesuitenfrater Johannes Hörmann den Entwurf eines Hochaltars vor, der in seiner Formsprache dem barocken Idealbild entsprach. 1718 folgten die Stuckierung der Kirche und die Anfertigung der Stuckplastiken der Apostel durch Johann Baptist Zimmermann. Die Fresken, die Johann Adam Müller 1722 schuf, zeigen im Mittelschiffgewölbe das Martyrium des hl. Georg, im Bereich der Hochgaden zwischen den Apostelplastiken Zimmermanns den Heiligen als Nothelfer in verschiedenen Gefahren. Thematisches Bindeglied ist das Hochaltarbild, auf dem der Kirchenpatron von Engeln in den Himmel geleitet wird. Die Deckenfresken in den beiden Seitenschiffen zeigen Szenen aus dem Leben des Ignatius von Loyola, des Gründers des Jesuitenordens, und des Jesuitenmissionars Franz Xaver.

Zum Zwecke des Kollegbaus hatte der Kurfürst den Abbruch der Ulrichskapelle nördlich der Georgskirche, von zwölf Häusern in ihrem Süden und des auf die Zeit Ludwigs des Bayern zurückgehenden Georgentors sowie die Auflassung des Friedhofs genehmigt. Kriegsbedingt blieb der mit den Aushubarbeiten begonnene Kollegbau 1631 jedoch in seinen

IN
DUEL-
LO.

Der Heilige Georg beschützt als Nothelfer einen christlichen Ritter im Zwei-
kampf gegen einen muslimischen Krieger. – Hochgadenfresko in der Kirche
St. Georg zwischen zwei Apostelplastiken des Johann Baptist Zimmermann

Anfängen stecken und konnte erst 1665 wieder aufgenommen
und 1669 beendet werden. In den Jahren 1672 bis 1674 folgte
der Bau des Gymnasiums, von 1674 bis 1678 der des Kongre-
gationssaaltrakts, der den Versammlungsraum der von den
Jesuiten 1626 gegründeten Kongregation Mariä Verkündigung
barg. Ins Auge fallen dabei der saalartige Raum aus der Bauzeit
und die später erstellte, von Oratorien flankierte Rokoko-
Altarwand an der Stirnseite. Besonders zu erwähnen sind die
von dem Jesuitenfrater Johannes Hörmann entworfene Kasset-
tendecke und die von dem Münchener Hofmaler Johann
Kaspar Sing geschaffenen Gemälde aus dem Leben der Jung-
frau Maria. Die Altarwand, eine Schöpfung des Amberger
Schreiners Leonhard Pacher, nahm ein Gemälde auf, das bereits 1672 aus dem Nachlass Caspar de Crayers gekauft worden
war und die Himmelfahrt Mariens zeigt. Insgesamt entstand
mit dem Jesuitenkolleg ein über 160 m langes Gebäude, das
die Georgenstraße abschloss.

Kloster und Kirche der Paulaner und der Salesianerinnen

1652 verlegte der Regensburger Bischof Franz Wilhelm Graf von Wartenberg die Niederlassung der Paulaner, die 1638 in Neunburg vorm Wald vorgenommen worden war, nach Amberg, wo ihnen ein Haus der Kurfürstin zur Verfügung stand. Wie in Neunburg fanden die Paulaner in Amberg keine optimalen Bedingungen vor; Jesuiten, Franziskaner und der Weltklerus hatten die seelsorgerlichen Aufgaben längst unter sich aufgeteilt. Den Paulanern blieb nur noch die Militärseelsorge, der sie sich aber mit großem Engagement widmeten. Ihre Hoffnung, die Wallfahrtsseelsorge auf dem Mariahilfberg übernehmen zu können, zerschlug sich; hier bekamen die Franziskaner den Zuschlag. Vielleicht war das Scheitern dieses über längere Zeit gehegten Traums der Paulaner einer der Gründe, warum sie erst relativ spät zur Errichtung von Kirche und Kloster schritten. Der Klosterbau begann 1695 nach den Plänen Wolfgang Dientzenhofers, der 1689 nach Amberg gekommen war, um die Arbeiten seines verstorbenen Bruders Georg fortzusetzen. 1699 war Paul d'Aglio mit den Stuckaturen beschäftigt; das Kloster verfügte zunächst nur über eine Interimskapelle. Die hochbarocke Wandpfeilerkirche wurde zwischen 1717 und 1719 gebaut. Der dem hl. Josef geweihte Bau war ungemein prächtig, mit künstlicher Stugadorarbeit und Frescomalerey, dann mit einer grossen Orgel ausgezieret, und zählet nebst dem in der Bildniß des heil[igen] Joseph von Gipps präsentierenden herrlich ausgezierten Hochaltar, und derley Predigtkanzel noch 5 überaus schön und kostbar gefaßte Altär (Johann Kaspar v. Wiltmaister).

Papst Alexander VII. genehmigte 1667 die Gründung je eines Salesianerinnenklosters in München und Amberg. Die um 1618 von Franz von Sales und Franziska von Chantal gegründete Kongregation der »Frauen von der Heimsuchung Mariä« war unter Annahme der Augustinerregel zum Orden erhoben worden. Zu ihrer Ansiedlung kam es in Bayern auf Initiative der Kurfürstin Henriette Adelaide, einer savoyischen Prinzessin, die den Orden aus ihrer Heimat kannte.

Trotz der päpstlichen Genehmigung gelangten die ersten Schwestern erst 1692 nach Amberg. Dort hatte sich der Stadtmagistrat für die Ansiedlung einer weiblichen Ordensgemeinschaft stark gemacht, um *bei Personen weiblichen Geschlechts Verführungen und Unglücksfällen vorzubeugen.* Damit erhielten die Salesianerinnen den Zuschlag vor den »Englischen Fräulein« Mary Wards, mit denen der Magistrat ebenfalls in Verhandlungen gestanden war. Der finanziellen Ausstattung der Amberger Niederlassung dienten die Einkünfte der in der Reformationszeit säkularisierten Klöster der Zisterzienserinnen in Seligenporten und des Birgittenordens in Gnadenberg. In den Jahren 1693 bis 1698 leitete Wolfgang Dientzenhofer nach seinen Plänen den Bau von Kloster und Kirche, 1699 wurde die Kirche dem hl. Augustinus geweiht und noch im gleichen Jahr »ausgeschmückt«. Für die Stuckaturen konnte Giovanni Battista Carlone gewonnen werden, die meisten anderen Arbeiten stammten von der Hand einheimischer Meister.

Das positive Wirken der Amberger Salesianerinnen würdigte selbst der »Aufklärer« Löwenthal (s. S. 89): *Vorzüglich leisten die Frauen der Jugend gute Dienste, die sie in den deutschen Schulen, wozu vier Frauen bestimmt sind, nicht nur im Lesen und Schreiben etc., sondern auch in den weiblichen Arbeiten unterrichten, ja sogar angefangen haben, die französische Sprache zu lehren [...].* 1782 besuchten 147 Mädchen unentgeltlich die je zwei unteren bzw. oberen Mädchenkurse.

Wallfahrt auf den Mariahilfberg
Unverwechselbares Kennzeichen des Barock ist neben dem Baustil die Volksfrömmigkeit, an der Amberg nicht nur durch das Wiederaufleben von Bruderschaften und die von Jesuiten gegründeten Kongregationen, sondern vor allem durch die Wallfahrt großen Anteil hatte.

Die Wallfahrt auf den später so genannten Mariahilfberg verdankt ihr Entstehen einem Gelübde: In den Sommermonaten des Jahres 1634 suchte die Pest Amberg heim, dabei stieg die Zahl der Toten bis auf 40 pro Tag an. Zur Beendigung der Seuche riet Caspar Hell, seit 1629 Rektor des Jesuitenkollegs, auf dem über der Stadt sich erhebenden Berg ein Marienheiligtum zu erbauen; dazu stellte er eine frühe Kopie des Mariahilfbilds von Lucas Cranach zur Verfügung. Am 2. September 1634 konnte das Gnadenbild in den alten Wachturm, den letzten Rest der ehemaligen Burg, auf dem

Prozession von Wallfahrern zur Mariahilfbergkirche, gezeichnet von Carl Sedlmayer. – Stahlstich von 1834

COSMAS DAMIAN ASAM

Als der Amberger Kirchenverwalter Jakob Joseph Hiltner im Sommer 1716 Verbindung mit Cosmas Damian Asam aufnahm, musste er rasch feststellen, dass der *berümbte Asam nit allzeit zu haben ist*. Mit dem im September 1716 geschlossenen Vertrag verpflichtete sich Asam, *in mit Stocador eingefasste 29 velder eine schöne frescho mahlerey nach iedermanns contento [= Zufriedenheit] zu verfertigen.* Dazu bekam Asam – wie aus einem Protokoll vom Dezember 1716 hervorgeht – von der Stadt Amberg weitreichende Vorgaben. Vergleicht man diese mit dem vollendeten Werk, so zeigt sich, dass Asam gelegentlich davon abwich. Im Zusammenhang mit einer von ihm vorgenommenen Änderung gewährte der Amberger Rat der Frau Asams eine *Ergötzlichkeit* von zwölf Gulden. Offensichtlich hatte der Künstler seine erst 19 Jahre alte Frau, mit der er seit dem 8. Februar 1717 verheiratet war, mit auf den Berg genommen. Asam schuf die Fresken in der Zeit vom 30. Juni bis 25. August 1717. Noch vor dem Abschluss der Arbeiten ließ er sich zum Ausmalen der restlichen Kirche verpflichten.

Berg verbracht werden. Rasch wurde eine Kapelle gebaut, die 1646 allerdings einem Brand zum Opfer fiel. Nachdem sie wieder errichtet worden war, zeigte sich bald, dass sie zur Aufnahme der zahlreichen Gläubigen nicht ausreichte. Deshalb beschloss die Stadt 1697, eine neue Kirche nach den Plänen Wolfgang Dientzenhofers aufzuführen. Im gleichen Jahr fiel die Entscheidung, die Wallfahrtsseelsorge den Franziskanern zu übertragen. Diese errichteten auf dem Berg ein Hospiz, das 1698 zwei Pater und ein Laienbruder beziehen konnten. Nach der Grundsteinlegung im Jahr 1697 kam der Kirchenbau, der unter der Leitung des Amberger Baumeisters Georg Peimbl stand, zu Beginn des 18. Jhs. kriegsbedingt ins Stocken und konnte erst 1711 geweiht werden. Die Stuckierung von der Hand des Giovanni Battista Carlone und die Freskierung durch Cosmas Damian Asam kamen erst Jahre später zur Durchführung.

Im Spanischen Erbfolgekrieg

Die Lebenswirklichkeit der Menschen in der neuzeitlichen Stadt war vielfach existentiellen Bedrohungen ausgesetzt. Dazu zählten epidemisch auftretende Krankheiten, denen die Bevölkerung praktisch schutzlos ausgeliefert war, und Gefährdungen von Leib und Leben sowie von Haus und Hof bei kriegerischen Auseinandersetzungen und Konflikten. Ein gutes Beispiel dafür ist die Belagerung Ambergs im Spanischen Erbfolgekrieg (1701–1714), der nach dem Tod des letzten spanischen Habsburgers, König Karls II., entbrannt war. Ansprüche auf das Erbe erhoben Frankreich, die österreichischen Habsburger und Kurbayern. Letzteres vor allem deshalb, weil der bayerische Kurprinz Joseph Ferdinand ein Urenkel Philipps IV. von Spanien war. Obgleich der Kurprinz aber bereits 1699, und damit ein Jahr vor König Karl II. von Spanien, verstorben war, trat Bayern an der Seite Frankreichs in den Krieg gegen Kaiser Joseph I., England und die Niederlande ein.

Am 11. November 1703 erreichte der Krieg Amberg, als die kaiserliche Armee *unter der Vesperzeit mit allem Ernst zu bombardiren*

DER »AMBERGER KNÖDEL«

Während der Belagerung, *da die feindliche Generalität auf dem Berg im Franciscaner-Klösterl speiste, hatte ein burgerlicher Kunststabler [=Kanonier] von der Dockenhänsl Batterie mit einer Falconet-Kugel [= Kugel aus einem kleinen Feldgeschütz] [...] in das Refectorium geschossen, und an des General d'Hermeville Hut auf dem Kopf gestreift* (Johann Kaspar v. Wiltmaister).

Michael Scherm lässt in seiner gereimten Chronik von 1902 den kaiserlichen Feldmarschall Ludwig Graf von Herbeville mit drei Offizieren bei Tisch sitzen und die Kanonenkugel in die vorgesetzte Schüssel einschlagen; von daher erhielt sie die Bezeichnung »Amberger Knödel«. Bis heute erinnern die Kugel über dem Hauptportal der Bergkirche und eine Brunnenplastik auf dem Gelände der ehemaligen Ritter-von-Möhl-Kaserne an dieses Ereignis.

angefangen, und so sehr der Feind mit Feuer zusetzte, auch in der untern Stadt, besonders in der Nabburger- und Zieglgasse viele Häuser in Brand gesteckt wurden, achtete es die beherzte Bürgerschaft, die gute Schützen waren und die Artilleriekunst sehr wohl gelernt hatten, doch wenig, und thaten nach allen Kräften Widerstand (Johann Kaspar v. Wiltmaister).

Trotz aller Verteidigungsbemühungen musste die Stadt sechs Wochen später übergeben werden, nachdem 112 Häuser völlig zerstört worden waren. Ebenfalls in Mitleidenschaft gezogen war der Turm der St. Martinskirche, dessen schadhaft gewordener achteckiger Aufbau bei seiner Sanierung in den Jahren 1723 bis 1727 durch einen viereckigen Grundriss mit abgerundeten Ecken ersetzt wurde; dabei erhielt er sein unverwechselbares Aussehen.

Pfälzisches Zwischenspiel

Nach der Flucht Kurfürst Max Emanuels 1705 besetzten kaiserlich-österreichische Truppen Bayern; aus der kurbayerischen Regierung Amberg wurde eine kaiserliche. Sie forderte am 9. März 1706 von der Stadt Amberg 13 723 Gulden für das Hybernal, das Winterlager, zahlbar in drei Raten.

In der schwierigen Situation erinnerten sich einige Vertreter der »alten« Landschaft der Oberpfalz, die durch Kurfürst

Maximilian I. 1628 praktisch beseitigt worden war, an die landständische Verfassung und suchten sie zu reaktivieren. In der Oberpfalz hatte sich diese erst relativ spät herausgebildet. So waren die Korporationen der Prälaten, des Adels sowie der Städte und Märkte erstmals 1507 zu einem Gesamtlandtag im Amberger Rathaus zusammengekommen. Das wichtigste Instrument, über das sie gegenüber dem Landesherrn verfügten, war das Steuerbewilligungsrecht.

Auf eine Wiederbelebung der Landschaft drängte auf Seiten des Adels Dieter Heinrich von Plettenberg, Inhaber verschiedener Landsassengüter und Vertreter auf dem Immerwährenden Reichstag zu Regensburg, auf der Seite der Prälaten Abt Bonaventura von Reichenbach und auf der der Städte und Märkte der Amberger Bürgermeister Jakob Jeremias Sonnleutner. Gemeinsam begaben sie sich an den Kaiserhof in Wien, wo sie im Oktober 1706 von Kaiser Joseph I. ein Privileg zur Restituierung der Landschaft erhielten. Damit konnte am 25. Januar 1707 in Amberg wieder ein Landtag feierlich eröffnet werden.

Eines der Ziele der Landschaft war es, eine Absenkung der Kosten des *Hybernals*, der Wintereinquartierung der Truppen, zu erreichen, das sich für die gesamte Oberpfalz auf 300 000 Gulden belief. Wie bedrückt die Lage im Land war, wird deutlich, als der neu bestallte Amberger Stadtkommandant Oberst Camus im Mai 1707 eine monatliche *Ergötzlichkeit* in Höhe von 45 Gulden verlangte. Angesichts dieser kaum erfüllbaren Forderung wandte sich Bürgermeister Sonnleutner an die kaiserliche Administration und schilderte die Lage Ambergs. Seinem Bericht zufolge war die Bürgerschaft zahlenmäßig geschwächt und durch den Krieg und die Lasten der Einquartierungen vollständig erschöpft. Allein im Kriegsjahr 1703 hatten viele Amberger das Meiste ihrer Habe verkaufen und trotzdem noch Schulden machen müssen.

Schon am 29. April 1706 war die Reichsacht über Kurfürst Max Emanuel feierlich verhängt worden, der infolgedessen seine Territorien verloren hatte. Dennoch übertrug der Kaiser erst am 4. August 1708 die der *sogenannten Rudolphinischen Chur-Linie, occasione der böhmischen Unruhen ehemals weggenommene und auf das*

Haus Bayern tranferierte *obere Pfalz* wieder an den Pfälzer Kurfürsten Johann Wilhelm. Die Übergabe geschah am 17. September 1708 unter Beteiligung der Landschaft im Amberger Rathaus. Damit folgte der kaiserlichen Regierung Amberg ein letztes Mal eine pfälzische Administration.

Mit den Verträgen von Rastatt und Baden von 1714 wurde der bayerische Kurfürst restituiert und Amberg wieder Bestandteil der kurbayerischen Staates. Große Feiern zur *Bezeigung deren Freuden über die Rückkunft des großmüthigsten Helden und gnädigsten Landesherrn* fanden in der ganzen Stadt statt, *vor denen Häusern schöne und sinnreiche Illuminationes so andere Ceremonien gehalten worden* (Johann Kaspar v. Wiltmaister). Für die gerade neu belebte Oberpfälzer Landschaft, die unter Kurfürst Johann Wilhelm hatte fortbestehen können, bedeutete der erneute Herrschaftswechsel das endgültige Ende.

Garnisonsstadt Amberg

Als Max Emanuel nach dem Wiedererstehen des kurbayerischen Staates mit dem Aufbau eines stehenden Heeres begann, war die oberpfälzische Hauptstadt Amberg nicht zuletzt auf Grund ihrer starken Befestigung als militärischer Standort ausersehen. 1714 wurden der Stab und drei Kompanien des Kürassier-Regiments Poth sowie das Kürassier-Regiment Graf Costa in die Stadt verlegt. Da Kasernenbauten fehlten, brachte man die Soldaten in Bürgerquartieren unter. Angesichts der bedrückten Lage der Bevölkerung, die sich von der Belagerung von 1703 und den darauf folgenden Kontributionen noch nicht erholt hatte, versprach der Hofkriegsrat in München am 13. März 1715 der Amberger Regierung, Kasernen bauen zu lassen.

1716 konnten *die zwei neu erpauthen Casernen im Statthalterey Gartten* bereits bezogen werden. Im 18. Jh. nahm der Garnisonsstandort Amberg regen Aufschwung, 1784 bestanden auf dem Areal zwischen Herrn- und Kasernstraße vier Kasernen und eine Reiterstallung – Letztere ein Hinweis darauf, dass neben der Infanterie von Anfang an Kavallerie in Amberg stationiert war.

Feier des 50-jährigen Garnisonsjubiläums des 6. Königlich Bayerischen Infanterie-Regiments auf dem Amberger Marktplatz 1899

Bis zur Verlegung des 6. Bayerischen Infanterie-Regiments nach Amberg am 7. Dezember 1849 wechselten die hier in Garnison liegenden Einheiten häufig. Nachdem die Stadt den Steinhof gekauft hatte, diente die zur Kaserne ausgebaute Liegenschaft zunächst zwei Eskadrons des 5. und von 1871 bis 1892 zwei Eskadrons des 6. Chevaulegers-Regiments, deren Inhaber Fürst Konstantin Nikolajewitsch von Russland war, als Unterkunft. Bei den »Chevaulegers« handelte es sich um leichte Reiterei, die wegen einer 1892 in Amberg herrschenden Typhusepidemie nach Neumarkt verlegt wurde und nicht mehr nach Amberg zurückkehrte.

Für das 6. Infanterie-Regiment entstand in den Jahren 1866 bis 1868 eine neue Kaserne, deren Notwendigkeit Kriegsminister Lutz in der Kammer der Abgeordneten nicht nur mit dem Umstand begründete, *daß man ein zweites Bataillon nicht unterbringen könnte*, sondern vor allem damit, dass die Platzverhältnisse so beengt waren, *daß man die Leute noch zweimännig legen musste*.

Die Voraussetzungen zum Bau schuf ein von Notar Alois Nürbauer ausgefertigter Eigentumsüberlassungsvertrag vom

15. November 1866, mit dem die Stadtgemeinde Amberg dem königlichen Militär-Ärar ein entsprechendes Grundstück kostenlos überließ. Obwohl das »Amberger« Regiment seit dem 12. März 1871 die offizielle Bezeichnung »6. Inf.-Reg. Kaiser Wilhelm von Preußen« und seit einem Armeebefehl vom 22. März 1888 »für alle Zeiten« die Bezeichnung »Kaiser Wilhelm, König von Preußen« zu führen hatte, erhielt die Kaserne erst 1938 den Namen »Kaiser-Wilhelm-Kaserne«, kurz »KWK«.

Aufgrund der Verlegung des 3. Feldartillerie-Regiments 1913 nach Amberg kam es zum Bau einer weiteren Truppenunterkunft, die damals als die »schönste Kaserne Bayerns« galt und deren Name an den Inhaber des 3. Feldartillerie-Regiments, Prinz Leopold von Bayern, erinnern soll. Eine weitere Kaserne wurde 1934/35 für die III. Abteilung des Artillerie-Regiments 10, die 1938 gegen die I. Abteilung des Artillerie-Regiments 46 ausgetauscht wurde, an der Sebastianstraße errichtet. Sie wurde nach Arnold Ritter von Möhl, dem ranghöchsten bayerischen Offizier in der Reichswehr, der als Kommandeur des 6. Infanterie-Regiments mit diesem in den Ersten Weltkrieg gezogen war, benannt. Nachdem diese 1950 von Amerikanischen Verbänden übernommen wurde, erhielt sie den Namen des am 15. Januar 1945 verstorbenen Kommandeurs des 1. Infanterie-Regiments der 90. US Infanterie-Division, Lt. Colonel Leroy Richard Pond (»Pond Barracks«). Nach dem Abzug der amerikanischen Streitkräfte 1992 verlor sie ihre militärische Nutzung; das Areal wurde in das Wohngebiet Sebastian umgewandelt; nur noch der Name »Alte Kaserne« der dort befindlichen Gaststätte erinnert an den ehemaligen militärischen Standort.

1951 kam es auch in Amberg zur Aufstellung der ersten Grenzschutzabteilungen in der KWK und in der Leopoldkaserne. Aus ihren Kadern wurden ab 1956 die ersten Bundeswehreinheiten gebildet. Amberg wurde 1959 zum Hauptquartier der Panzerbrigade 12 mit unterstellten Bataillonen in der Leopoldkaserne und an anderen Standorten. Durch Umstrukturierungsmaßnahmen der Bundeswehr in den 1990er-Jahren veränderte sich der Standort Amberg gravierend. Nachdem die

Leopoldkaserne durch Auflösung und Verlegung von Einheiten frei geworden war, wurde der Stab der Panzerbrigade 1994 von der KWK in die Leopoldkaserne verlegt. Sie ist damit bis 2018 die einzige noch militärisch genutzte Liegenschaft Ambergs.

Im Österreichischen Erbfolgekrieg

Noch viel empfindlichere Kriegstrangsalen hatte die Hauptstadt Amberg zu erfahren und zu erdulden gehabt (Johann Kaspar v. Wiltmaister), als nach dem Tod Kaiser Karls VI. 1740 der bayerische Kurfürst Karl Albrecht die »Pragmatische Sanktion« und damit die Thronfolge von Maria Theresia nicht anerkannte, sondern den Kaiserthron für sich beanspruchte. Damit kam es zum Ausbruch des Österreichischen Erbfolgekriegs. Zur Aufnahme und Verpflegung der anrückenden französischen Armee wurden in Amberg große Getreidemagazine und Proviantbacköfen gebaut. Mitte Februar 1741 kamen die ersten Franzosen an und lagerten zwischen der Dreifaltigkeitskirche und Gärmersdorf. Der Chronist Wiltmaister, der als Mitglied der Amberger Regierung in die gesamten Vorgänge eingebunden war, berichtet damit als Zeitzeuge. So waren im August 1742 in Amberg 3000 Franzosen in Bürgerhäusern untergebracht worden. Gleichzeitig wurden Kolleg, Gymnasium und Lyzeum der Jesuiten zum französischen Militärlazarett. Nachdem *viele tausend Kranke und blessirte hiehero gebracht, da durch sich aber eine Gattung einer ansteckenden Krankheit eingeschlichen, welch viele bürgerliche Haushaltungen ergriffen hat, aus denen Vater und Mutter verstorben, und durch den allgemeinen Menschenfeind eine solche Niederlage angerichtet worden, daß man mehrere Wittiben, und Waisen als gesunde Inwohner zählen konnte* (Johann Kaspar v. Wiltmaister).

Im Januar 1745 standen österreichische Truppen vor der Stadt und forderten ihre Übergabe. Diesmal galt der Beschuss überwiegend den westlichen Stadtteilen, wo vor allem das Jesuitenkolleg bedroht war, dessen wertvolle Bibliothek angesichts der herannahenden Gefahr evakuiert worden war. Am Ende des Krieges, 1745, sah *die Stadt Amberg* [...] *wie ein* wahrhaft gandmäßiges Gut aus. Sie war sehr entvölkert. Ihre Stadtkammer-güter wurden unter den schweren Kriegsausgaben ausgezehrt, und alle Klassen derselben mit Schulden beladen. Das Elend drückte desto mehr, weil die pest-artigen Krankheiten in den meisten Bürgershäusern die Männer weggerafft, oder ihnen ihre Weiber und Kinder geraubt hatten. Viehe und Fahrnisse, Baarschaften und Lebensmittel hat der Feind genommen. Unter den Schulden mußte jeder Bürger schmachten [...]. Die Vorstädte und die Gartenhäuser lagen in dem Schutte, und die Felder und Gärten waren einer Wüsteney ähn-lich (Felix v. Löwenthal).

An die Belagerung von 1745 erinnert ebenfalls eine Ka-nonenkugel, eingemauert im ersten Stock des so genannten Walfisch-Hauses in der Löffelgasse. Auf einer darüber ange-brachten Steintafel deutet ein fremdländischer Soldat, mögli-cherweise ein Pandur, auf den neben ihm angebrachten Spruch *Srütz beis mich*; offensichtlich hat der Steinmetz aus dem *ch* ein *r* gemacht; der Spruch bezog sich auf den schlechten Schützen.

Vom Barock zum Rokoko

Im Profanbau entstand mit dem Fenzlhaus, das seinen heutigen Namen einem späteren Inhaber, dem Buchhändler Josef Fenzl, verdankt, nur ein Anwesen im Stil des Rokoko. Errichtet wurde es von dem Regierungsadvokaten Johann Kaspar Wolf, der das Haus 1772 von dem kurfürstlichen Kämmerer Franz Gustav Freiherr von Gobel auf Hofgiebing erworben hatte.

Die Kirche der Salesianerinnen

Unter der Superiorin Angela Viktoria von Orban, einer Toch-ter des Amberger Regierungskanzlers, begann 1758 der Umbau des von Dientzenhofer geschaffenen *Rundells* (Johann Kaspar v. Wiltmaister) der Kirche der Salesianerinnen, der durch einen Spalt im Mauerwerk ausgelöst worden war. Dabei blieben die äußeren Umfassungsmauern der Osthälfte der Dientzenhofer-Kirche bestehen, das nach Westen anschließen-de Altarhaus dagegen wurde abgebrochen und durch ein neu-es Langhaus sowie die westliche Eingangshalle ersetzt.

HÖFISCHER GLANZ – FRANZ LUDWIG GRAF VON HOLNSTEIN

In dieser schwierigen Lage fiel durch die Doppelhochzeit des Jahres 1747 – wenngleich nur kurz – ein wenig höfischer Glanz auf Amberg. Die Vermählung der bayerischen Prinzessin Maria Antonia mit dem späteren sächsischen Kurfürsten Friedrich Christian und der sächsischen Prinzessin Maria Anna Sophia mit dem bayerischen Kurfürsten Max III. Joseph besiegelte das politische Bündnis der beiden Staaten. Der Hochzeitszug der beiden Damen von München nach Dresden und umgekehrt führte über Amberg, wo Franz Ludwig Graf von Holnstein, ein Halbbruder Max III. Josephs, beide standesgemäß empfing.

Holnstein war am 4. Oktober 1723 in München als unehelicher Sohn des späteren Kurfürsten Karl Albrecht und der Carlotta Freiin von Ingenheim geboren und genau fünf Jahre später von seinem Vater anerkannt sowie legitimiert worden. 1732 verlieh er ihm die erbliche Statthalterschaft der Oberpfalz. Das Amt des Statthalters trat Holnstein noch während seiner militärischen Laufbahn 1746 an. Zehn Jahre später vermählte er sich mit Anna Maria von Löwenfeld, der »natürlichen Tochter« seines Onkels, des Kurfürsten und Erzbischofs von Köln, Clemens August, und der Harfenspielerin Mechtild Brion.

Erst nachdem er seinen Abschied vom Militärdienst genommen hatte, ging er 1760 nach Amberg, wo er das kurfürstliche Schloss 1768 umbauen ließ. Der stärkste Eingriff war der Abbruch des ältesten Teils der Residenz, um einen Barockgarten anlegen zu können. Holnstein verstarb völlig überraschend am 22. Mai 1780 bei einem Aufenthalt in München, wo er in der Theatinergruft seine letzte Ruhestätte fand. Mit Erreichen der Volljährigkeit 1784 übernahm sein Sohn Maximilian Joseph die Erbstatthalterei. Im selben Jahr schenkte Kurfürst Karl Theodor einer Tochter Holnsteins, Josepha Maria, anlässlich deren Vermählung mit Ludwig Freiherr Egcker von Kapfing-Lichtenegg den *Eichenforst*, das alte Schloss der Wittelsbacher in Amberg, als Wohnsitz. Daran erinnert das prächtige Allianzwappen der Egcker und Holnstein über dem Eingangsportal, das im Zuge des Umbaus angebracht wurde.

Im Jahr 1799 endete die Ära Holnstein und die der oberpfälzischen Statthalterei in Amberg. Wie in den übrigen bayerischen Bezirken trat nun ein Präsident an die Spitze der Regierung.

Franz Ludwig von Holnstein, Statthalter des Fürstentums der Oberpfalz. – Kupferstich von Joseph Anton Zimmermann, um 1758

Das Besondere der Kirche ist, dass »der Eindruck des Rokokoraumes [...] nicht von der Architektur, sondern allein von der Ausstattung« (Sixtus Lampl) hervorgerufen wird. Erwähnt seien nur der Rocaille-Stuck von Anton Landes oder die Fresken, die der Augsburger Hofmaler Gottfried Bernhard Götz geschaffen hat. Die Vollendung der Innenausstattung schufen heimische Kräfte. So war Franz Joachim Schlott mit der Ausführung der Bildhauer- und Schreinerarbeiten beauftragt. Die Seitenaltäre fertigten u.a. Peter Hirsch und Johann Wolfgang Eder. Die Orgel in einem Rokoko-Gehäuse überragt eine muschelartige Empore. Die Kirche, »eine Symphonie von zeitloser Gültigkeit, voll Bewegungsfreude und geisterfüllter Farbigkeit« (Sixtus Lampl), gehört zu den schönsten Sakralbauten des Rokoko in Deutschland.

Die Schlacht bei Amberg 1796

Nicht nur am Beginn und in der Mitte, sondern ebenso am Ende war das 18. Jh. von Kriegen geprägt. Im ersten Koalitionskrieg standen sich dabei französische Revolutionstruppen und kaiserlich-österreichische Truppen gegenüber. Im Verlauf des Kriegs kam es am 24. August 1796 nordwestlich der Stadt, unweit des heutigen Ortsteils Witzlhof, zur Schlacht bei Amberg. Das Kommando auf kaiserlich-österreichischer Seite hatte Erzherzog Karl, auf französischer General Jean-Baptiste Jourdan. Obgleich diese Begegnung mit einer Niederlage der französischen Einheiten endete, wurde der Schlachtenort Amberg auf dem Arc de Triomphe in Paris »verewigt«.

Amberg und die Aufklärung

Träger des Gedankenguts der Aufklärung waren in Amberg wie in anderen Regierungsstädten Kurbayerns überwiegend die Beamten der Regierung. Bei ihnen ging es vielfach nicht nur um deren allgemeine Grundsätze – wie Vernunft als universelle Urteilsinstanz, religiöse Toleranz, Veredelung des Menschen durch Bildung –, sondern auch um die Zugehörigkeit zu Geheimgesellschaften wie dem von Johann Adam Weishaupt 1776 gegründeten Illuminatenorden.

Vor allem das Vorgehen des aufgeklärten Staates gegen verschiedene Formen barocker Volksfrömmigkeit stieß bei der Amberger Bevölkerung auf Unverständnis und Widerstand. Obwohl die Regierung in Amberg sowie der Geistliche Rat in München 1784 die Feiern zum 150-jährigen Wallfahrtsjubiläum ablehnten, *da sie mehr bigottisch als zur Einführung einer wahren Andacht und Erbaulichkeit gerichtet seien*, wurde das Jubiläum trotz aller Einschränkungen und Verbote dennoch im geplanten großen Rahmen begangen.

FELIX FREIHERR VON LÖWENTHAL UND SEINE CHRONIK

Der 1742 in Deining bei Neumarkt i. d. OPf. geborene Felix von Löwenthal ist einer der bekanntesten Vertreter der Aufklärung in Amberg, wo er von 1784 bis zu seiner Zwangspensionierung 1786 als Regierungskanzler wirkte. Der 1785 in den Freiherrenstand erhobene Löwenthal, dem 1787 sogar die Pension aberkannt wurde, war in der Oberpfalz das prominenteste Opfer des von Kurfürst Karl Theodor erlassenen Verbots *alle[r] in unserem Lande befindlichen Logen der sog. Freymaurer und Illuminaten* wegen ihrer angeblich landesverräterischen und religionsfeindlichen Tendenzen. Erst unter Kurfürst Max IV. Joseph konnte er an seine Karriere im bayerischen Staatsdienst wieder anknüpfen und wurde 1799 zum oberpfälzischen Justizreferendär ernannt.

Löwenthal widmete sich in der Zeit von 1786 bis 1799 auf seinem Landgut der Geschichtsschreibung. Unter den von ihm verfassten Werken kommt dem »Geschichte von dem Ursprung der Stadt Amberg« besondere Bedeutung zu, vor allem deshalb, weil er ihr ein umfangreiches Urkundenbuch beigab. Damit lagen die wichtigsten Urkunden zur Amberger Stadtgeschichte erstmals in gedruckter Form vor.

Aus der Chronik geht deutlich hervor, dass ihr Verfasser ein ausgeprägter Anhänger der Aufklärung war. Das vielleicht beste Beispiel dafür ist seine Beurteilung der Etablierung einer Wallfahrt auf dem Mariahilfberg, für die Löwenthal nur ökonomische Gründe ins Feld führt: *Man muß sich die oberpfälzischen Wallfahrten nicht anders als wie merkantilische Schauspiele vorstellen. Der Handelsmann schwitzt in der Werkstatt Wochenweise über die Feilschaften, die er am nächsten Wallfahrtstage auskrammen will. Der Gewerbsmann backt, bräut, siedet und bratet dafür. Alle Gewerbe sind in voller Bewegung. Man sieht bethen und opfern; aber man sieht auch essen, trinken, handeln, kaufen und verkaufen. [...] Die Stadt Amberg, welche sich auf den Handel und die Gewerbe verlegen muß, hätte ohne die Wallfahrt um viele tausend Gulden weniger Absaz ihrer Waaren.*

Dem Geist der Aufklärung verpflichtet war der am 27. Januar 1785 beschlossene Ausbau des Fürstenhofes zu einem Zucht- und Arbeitshaus, in das man am 1. April 1786 den ersten Gefangenen einlieferte. Treibende Kraft war Löwenthal, der damit *dem unnützen Henken und Köpfen und den häufig als öffentliches Spektakel stattfindenden Blutszenen endgültigen Einhalt tun wollte, durch die das gemeine Volk eher verwildert als gebessert würde.* Männer konnten wegen *Diebstählen, Verdacht des Mords, Raubereyen und Herumvagiren,* Frauen wegen *wiederholter fleischlicher Vergehungen, Kindsmord, Diebstählen, Herumvagiren* ins Zucht- und Arbeitshaus gelangen.

Der Gedanke der Bildung manifestierte sich in der Gründung von *Lesebibliotheken,* wie sie in Amberg der Regierungsarchivar Simon Joseph Wiesinger begründet hatte. Als sie 1795 von der Schließung durch kurfürstlichen Befehl bedroht war, rettete sie Wiesingers »Hinweis auf den Leserkreis aus ›Dikasterien und Adel‹« (Ludwig Hammermayer). Trotzdem beschwerte sich der Amberger Kirchenrat Jakob de Battis noch 1798 über sie; er denunzierte zudem den hiesigen Hofkammerrat Joseph Anton von Destouches als Verfasser des berüchtigten Stückes »Friedrich IV. oder der Fanatismus in der Oberpfalz. Ein oberpfälzisches Nationalschauspiel in vier Handlungen mit einer Vorrede von den Religionsveränderungen in der Oberpfalz«. Destouches war aber nicht nur Verfasser verschiedener Schauspiele, sondern darüber hinaus Autor der »Statistischen Darstellung der Oberpfalz und ihrer Hauptstadt Amberg«, die 1809 erschien.

Einen Ausläufer der Aufklärung in Amberg bildete daneben die Gründung des Stadttheaters 1803 in der Kirche des säkularisierten Franziskanerklosters durch die beiden Landesdirektionsräte Freiherr von Burgau und von Heeg. Wie es in der *Einladung an alle Einwohner Ambergs, der Oberpfalz und überhaupt an alle Freunde der schönen Künste und des guten Geschmacks* heißt, betrachtete man *eine in objektiver und subjektiver Hinsicht gut bestellte Schaubühne im Sinne Friedrich Schillers als wesentliches Vehikel* der Aufklärung.

Anteil am Geist der Aufklärung in Amberg hatte auch Dr. Bernhard Schleiß von Löwenfels, Medizinalrat, Land- und Stadtgerichtsarzt in Sulzbach sowie Mitglied des mystischen Geheimbunds der »Rosenkreuzer«. Ihm gewährte Kurfürst

Karl Theodor am 25. September 1793 ein Privileg zur Herausgabe des *Churfürstlich gnädigst privilegierten oberpfläzisch-statistischen Wochenblats*, dessen erste Ausgabe am 1. Januar 1794 erschien. Anliegen des Herausgebers war es, weite Kreise der Bevölkerung über Fragen der Medizin und der Hygiene aufzuklären. *Gleichzeitig nahm dieses Blatt die Authorität eines offiziellen Regierungsblattes an, welches alle Verordnungen und alle Regierungsverfügungen [...] bekannt machte* (Joseph v. Destouches).

Das von Schleiß herausgegebene Blatt war der zweite und erfolgreiche Versuch, in Amberg eine Wochenzeitung zu etablieren. Bereits 1782 war bei Georg Koch ein »Gemeinnütziges Wochenblatt« erschienen, das am Ende des zweiten Jahrgangs bereits wieder eingestellt werden musste. Waren Nachrichten in dem Blatt eher spärlich, so dominierten es Texte belehrenden und/oder unterhaltenden Inhalts. So wandte sich Koch, der nicht nur Drucker, sondern ebenso Herausgeber und wahrscheinlich alleiniger Redakteur seines Blattes war, als vorgeblicher Leserbriefschreiber oder als *Hannswurst* an den Herausgeber, um verschiedene Dinge, die gerade im Schwange waren, zu erörtern. Daneben erfuhren die Leser die »Viktualienpreise«, die Todesfälle vor Ort sowie Angaben dazu, wer wo in Amberg abgestiegen war – eine Tradition, die spätere Wochenblätter aufnahmen.

Säkularisation der Klöster

Während der Jesuitenorden bereits 1773 durch den Papst aufgelöst worden war, zog zu Beginn des 19. Jhs. »die Gewitterfront der Säkularisation« (Marianne Popp) herauf. Mitten aus ihrem Wirken gerissen wurden die Franziskaner, als die Aufhebung ihres Klosters am 4. Oktober 1802, dem Gedenktag des Ordensgründers, erfolgte. Während der Mehlhändler Thomas Bruckmüller die Klostergebäude erwarb, wurde in der Klosterkirche das Stadttheater eingebaut. Betroffen von der Aufhebung war darüber hinaus das dem »Stadtkloster« nachgeordnete Hospiz auf dem Mariahilfberg. Um die Wallfahrtsseelsorge nicht ganz zum Erliegen kommen zu lassen, übernahmen sie

Exkonventuale verschiedener säkularisierter Klöster, später Weltgeistliche.

Am wenigsten betroffen waren die Paulaner, da die am 21. Januar 1803 durchgeführte Säkularisation keinen blühenden Konvent mehr vorfand. Er umfasste noch zwei Laienbrüder und fünf Patres, von denen zwei erst 1799, nach der Auflösung ihres Klosters in München, nach Amberg gekommen waren. Die Exkonventualen blieben vor Ort, bekamen eine Pension und widmeten sich weiter der Militärseelsorge. Das Kloster wurde am 9. Juli 1808 zum Militärlazarett bestimmt und behielt diese Funktion bis zur Auflösung am 1. Oktober 1920. Heute ist dort das Amtsgericht untergebracht. Die Kirche wurde im 19. Jh. zur evangelisch-lutherischen Pfarrkirche.

Die Aufhebung der Salesianerinnen und ihres Klosters hatte sich im Gegensatz zur Auflösung des Franziskaner- und Paulanerklosters relativ lange hingezogen und war erst am 2. März 1804 erfolgt. Ihre Klostergebäude gingen an die »Deutsche Schulstiftung« über. Obwohl zunächst vier ehemalige Schwestern, die in den weltlichen Dienst gewechselt waren, den Unterricht fortsetzten, war die Auflösung des Klosters für die Mädchenbildung ein schwerer Schlag. Die dabei entstandene Lücke konnte erst durch die Ankunft der »Armen Schulschwestern von Unserer Lieben Frau« 1839 in Amberg geschlossen werden. Von 1805 bis 1826 befand sich im ehemaligen Kloster auch die Provinzialbibliothek, die als Sammelbecken für die Buchbestände der säkularisierten Klöster der Oberpfalz ins Leben gerufen worden war. Zu nennen sind neben der Bibliothek des Jesuitenkollegs die der Klöster Ensdorf, Michelfeld, Reichenbach am Regen, Speinshart, Walderbach, Waldsassen und Weißenohe. Ein Brand im Jahr 1815 zerstörte ca. 16 500 der 50 000 aufgenommenen Bände. Ein Teil des geretteten Bibliotheksguts kam sofort in das Maltesergebäude, das übrige folgte 1826. Hier fand es im ehemaligen barocken Bibliothekssaal der Jesuiten eine endgültige Bleibe. Dieser Raum ist das Ergebnis eines Umbaus und einer Erweiterung des 1681 geschaffenen Bibliothekssaals im Jahr 1726 mit seinem qualitätvollen Stuck, den Deckengemälden des bedeutenden Barockmalers Johann Gebhard von Prüfening und den Regalen mit ihren Arkanthus- und Muschelornamenten sowie ihren Fruchtgirlanden, die nach den Entwürfen Frater Hörmanns für den Vorgängersaal geschaffen worden waren.

Als letzte geistliche Gemeinschaft in der Stadt beseitigte die Säkularisation 1808 die Niederlassung des Malteserritterordens, dem am 22. Juli 1782 die Georgskirche und die Besitzungen der Jesuiten übergeben worden waren. Obgleich der Orden bis zum Ende seines Bestehens weder seelsorgerliche noch sonstige Aktivitäten in Amberg entfaltet hatte, blieb die Bezeichnung »Malteser« bis zum heutigen Tag prägend für den mächtigen Kollegbau, den davor liegenden Platz und die Brauerei.

Ende der Residenzstadt Amberg

Nachdem Max IV. Joseph mit seiner Familie und dem leitenden Minister Maximilian Joseph Freiherr von Montgelas vor den Franzosen aus München geflohen war, wurde Amberg nochmals Residenzstadt, als der Kurfürst am 7. Juli 1800 *Abends um halb 10 Uhr [...] unter dem Frohlocken aller Einwohner [...] und Aufwartung sämtlicher hoher Dikasterien, und einer außerordentlichen Menge auswärtiger Zuschauer hier an[kam], und [...] in dem Baron von Frankischen Hause ab[stieg]* (Johann Baptist Schenkl). Demzufolge war das Schloss zur Aufnahme der kurfürstlichen Familie noch nicht bereit. Erst am 24. Juli konnten der Kurfürst, seine zweite Gemahlin, Karoline Friederike Wilhelmine von Baden, und der Hofstaat ins Schloss umziehen. Während der Kurfürst im Schloss residierte, war Kronprinz Ludwig im Haus des Regierungsrats Jakob de Battis »untergekommen«, der am 24. August das Geburts- und Namensfest des 14-jährigen Prinzen ausrichtete. *Prinz Karl bewohnte das Haus des Baron von Obermeyer; die Prinzessinnen wurden im Hause des Baron du Prel untergebracht* (Georg Hubmann), Staatsminister Montgelas hatte *die Baron von Hannekamsche Behausung*, das ehemalige Münzgebäude, bezogen.

Am 27. November 1800 gebar die Kurfürstin in der Amberger Residenz ihren Sohn Karl Friedrich Ludwig Wilhelm Max Joseph, der deshalb den Beinamen *der Amberger* erhielt. *Die* beste der Mütter, die von den Oberpfälzern angebethete Landesfrau, schenkte ihnen einen gesunden, wohlgebildeten Prinzen (Felix v. Löwenthal). Emphatisch fährt Löwenthal, der der glücklichen Geburt ein ganzes Kapitel in seiner Chronik widmet, fort: *Nun dann ihr Amberger! Schüttelt die Hülle der Trauer, mit der euch das unselige Loos so lange verschleyert hat, ab! die Stunde hat einmahl für euch wieder geschlagen!* [...] *Verewigt daher das neue Jahrhundert, das euere Hauptstadt der Oberpfalz wiederum in die Residenz- und Geburtsstadt euerer Fürsten verwandelt hat!*

Die in den kleinen Prinzen gesetzten Hoffnungen erfüllten sich jedoch nicht: Er starb bereits am 12. Februar 1803 in München. Am 10. April 1801 dankte der Kurfürst von Bayreuth aus der Stadt Amberg für die während seines bis zum Dezember 1800 dauernden Aufenthalts empfangenen Wohltaten und versicherte, dass Amberg immer Residenz- und Regierungsstadt bleiben sollte.

Die königliche Stadt:
Amberg von 1806 bis 1918

Feiern bei der Erhebung Bayerns zum Königreich

Politisch richtungweisend war die Hinwendung Bayerns zum Napoleonischen Frankreich im Vertrag von Brünn vom 10. Dezember 1805. Die darauf folgende Rangerhöhung zum Königreich vom 1. Januar 1806 bot im ganzen Land Anlass zu Feiern. In Amberg wurde *das glückliche Ereigniß* bereits am 3. Januar 1806 im Stadttheater in einem Prologe als Glückwunsch zum Eintritt des neuen Jahres für alle Stände thematisiert (»Oberpfälzisches Wochenblatt«).

Am 6. Januar 1806 *Nachmittags um halb 3 Uhr geschah die feyerliche Proklamation, vermög welcher [...] Maximilian Joseph als König von Baiern und allen dazu gehörigen Ländern zu Amberg ausgeruffen wurde.* Den Hauptpunkt der Feierlichkeiten bildete der am folgenden Tag in der Martinskirche zelebrierte Festgottesdienst. *Die Kinder versammelten sich in der Schule, die Studirenden in ihren Hörsälen, die Bürger bey ihren Fahnen, und das gesammte Personale der Königlichen Landeskollegien in dem Landesdirections-Gebäude, welches sich um 10 Uhr von da unter Paradirung der Bürgerschaft in die Pfarrkirche zu St. Martin begab, die königlichen Beamten des Landrichter-, Rent-, Salz- und Bergamts, nebst ihren untergebenen Personale, sowie der Magistrat und die übrigen Versammlungen folgten nach, und die Studirenden stimmten das Lied »Heil unserm König etc.« jubelnd an. Darauf folgte ein feyerlicher Gottesdienst nebst Te Deum Laudamus, wobey der Kanonendonner unaufhörlich sich vernehmen ließ* (»Oberpfälzisches Wochenblatt«).

Napoleonische Kriege

Doch das Bündnis mit Frankreich bedrückte Bayern im Hinblick auf die ungeheuren Militärlasten schwer. Schon im Kriegsjahr 1809 litten die Stadt Amberg und ihre Bewohner vielfach unter Truppendurchzügen, Einquartierungen, kleineren Scharmützeln sowie der Aufnahme von Verwundeten.

Am 12. April 1809 rückte der österreichische General Johann Graf von Klenau auf Amberg vor. In den frühen Morgenstunden des 13. April entstand *ein starkes Musketenfeuer zwischen den Franzosen und Österreichern* (Georg Hubmann). *Einige Stunden später flüchteten verwundete österreichische Uhlanen ohne Pferde, ohne Waffen in die Stadt; bald folgten auch die übrigen Uhlanen und die Jäger zu Fuß hinter ihnen her und sie verfolgend französische Chasseurs.* Daraus entwickelte sich ein erbitterter Straßenkampf. *Die Kugeln flogen nach allen Seiten, das Getümmel wurde so groß, daß die österreichischen Jäger selbst auf ihre Waffenbrüder, die Uhlanen Feuer gaben* (Georg Hubmann). In dieser Situation suchten die Franzosen ihr Heil in der Martinskirche, während die Österreicher durch deren Türen schossen.

Nach heftigen Gefechten, die am gleichen Tag bei Ursensollen und Atzlricht stattfanden, brachte man viele Verwundete, *welche verletzt und bluttriefend in die Stadt theils getragen, theils gefahren wurden* (Georg Hubmann), in das ehemalige Jesuitenkolleg sowie in das Militärlazarett, das säkularisierte Paulanerkloster.

Den Truppendurchzügen folgten Seuchen; so hatte sich *schon im Dezember 1809 und Januar 1810 [...] das Faulfieber in Amberg wieder eingestellt.*

Der Höhepunkt der guten Beziehungen Bayerns zu Frankreich war längst überschritten, als es 1812 zur Katastrophe des Russlandfeldzugs kam, wobei es sich nicht nachweisen lässt, wie viele Amberger daran teilnahmen. 1813 schaffte Bayern im Vertrag von Ried gerade noch rechtzeitig den Absprung gegenüber Frankreich und die Annäherung an Österreich.

Verlust der Regierung an Regensburg

Es waren aber nicht nur die beständigen Kriege, die jene Jahre prägten, sondern darüber hinaus die Umgestaltungen des bayerischen Staatswesens durch die Reformen Montgelas'. Vor ihrem Hintergrund konnte die »Bayreuther« Zusage Kurfürst Max IV. Josephs von 1801, dass Amberg immer Residenz- und Regierungsstadt bleiben sollte, auf lange Sicht keinen Bestand haben: Die Verlegung der Regierung von Amberg nach Regensburg hängt mit der territorialen Neuorganisation Bayerns zusammen. Um die enormen Gebietszuwächse Bayerns in Schwaben, Franken und teilweise in Tirol administrativ in den Griff zu bekommen, verfügte die Konstitution von 1808 die Einteilung des Königreichs in 15 Kreise, deren Namen sich nach dem Vorbild der französischen Départements von Flüssen herleiteten. Der dritte der neu gebildeten Kreise war der Naab-kreis mit seiner Hauptstadt Amberg.

Die Gliederung hatte jedoch gerade einmal zwei Jahre Be-stand, als mit der Verordnung vom 23. September 1810 die Zahl der Kreise auf neun reduziert wurde; dabei gehörte der Naabkreis zu den sechs Kreisen, die von der Auflösung betrof-fen waren. Ein Großteil seiner Landgerichte kam zu dem neu organisierten Regenkreis, als dessen Hauptstadt seit 1808 Strau-bing fungiert hatte. 1810 wurde Regensburg zum Sitz des Ge-neralkreiskommissariats, wie die Regierung damals hieß, des »neuen« Regenkreises bestimmt. Die vormals Freie Reichs-stadt, die 1806 neben dem Hochstift Regensburg, der Fürst-abtei St. Emmeram und den Reichsstiften Ober- und Nieder-münster in dem für den Fürstprimas Carl von Dalberg gebildeten Fürstentum Regensburg aufgegangen war, wurde 1810 von Napoleon an Bayern übergeben.

Das Ende der Regierung Amberg bedeutete einen deutlich spürbaren Prestigeverlust für die Stadt und ihre Bürger. Dane-ben fehlten die Impulse, die die überwiegend adeligen Regie-rungsbeamten dem kulturellen Leben der Stadt gegeben hatten. So hatten Mitglieder der Regierung sich der Geschichtsschrei-bung gewidmet, wie die Beispiele des Rentkammerrats von Wiltmaister, des Kreisrats von Destouches und des Regierungs-kanzlers von Löwenthal zeigen. Erwähnt seien auch die Grün-dungen eines adeligen Gesellschafts- und des Stadttheaters.

Darüber hinaus waren die Beamten ein bedeutender Wirt-schaftsfaktor in der Stadt. So fehlten dem Amberger Bauhand-werk nun ihre Aufträge. Spürbar wurde daneben ein Rückgang im Bereich der Wohltätigkeit. Eine Ausnahme bildet – und sie zeigt, was seitens einzelner adeliger Familien hier geleistet werden konnte – die Familie Frank: Sie bewohnte nach der Regierungsverlegung weiter ihr barockes Stadtpalais in der heutigen Herrnstraße 10, das Maximilian Freiherr von Wildenau 1730 erbaut hatte. Ab der Mitte des 19. Jhs. lebte Clementina Sabina Paula von Frank allein in dem herrschaftlichen Haus, das sie 1877 testamentarisch zum Sitz einer »Versorgungsanstalt für arme alte Dienstboten«, die so genannte »Frank'sche Dienstbotenstiftung«, bestimmte.

Amberg verlor zwar die Regierung an Regensburg, blieb aber Sitz des 1808 hier eingerichteten Appellationsgerichts. Wie sein Vorgänger, das 1802 aus der Regierung gebildete Hofgericht, war es bis zu seiner Auflösung 1873 in der ehemaligen Regierungskanzlei untergebracht. 1879 bezog das Landgericht seine Räume.

Entwicklung der Gemeindeverfassung

Mit der Anordnung Kurfürst Max IV. Josephs an die Landesdirektion zu Amberg vom 18. Dezember 1802 »wurde die Unabhängigkeit der Justiz vom Magistrat verfügt« (Rudolf Fritsch). Damit wurden die Jurisdiktionsaufgaben, die die Stadt bisher innegehabt hatte, einem kurfürstlichen Stadtgericht übertragen. Die Verwaltungsaufgaben im übertragenen Wirkungskreis musste die Stadt an einen kurfürstlichen Polizeidirektor abgeben. In den Angelegenheiten, die dem Stadtmagistrat noch verblieben, »mußte er die Beiordnung eines beständigen kurfürstlichen Kommissärs dulden, der weitreichende Aufsichtsbefugnisse besaß« (Rudolf Fritsch).

Zur Überwachung der Kommunalverwaltung amtierte seit 1803 Franz Xaver Graf von Holnstein als kurfürstlicher Stadtkommissär, der mit Schreiben vom 22. November 1805 eine völlige Umgestaltung des Stadtmagistrats anordnete. Die Amberger Stadtverwaltung hatte seit dem Spätmittelalter aus vier Bürgermeistern, 14 Inneren und 24 Äußeren Räten, einem Stadtschreiber und einem Syndikus bestanden. In Zukunft sollte sie sich aus einem juristisch ausgebildeten Bürgermeister, einem ebensolchen Magistratsrat, einem Bausachverständigen, sechs weiteren Magistratsräten aus dem Stand der gewerbetreibenden Bürger, zwei Stadtschreibern und vier Polizeidienern zusammensetzen.

Die am 21. Oktober 1800 gewählten vier Bürgermeister Franz Michael Girisch, Mathias Platzer, Joseph Anton Allioli und Johann Georg Klier blieben bis Ende Juni 1807 im Amt, am 1. Juli 1807 wurde Anton Samuel Joseph Weingärtner zum Bürgermeister ernannt. Die Bestellung eines einzigen Gemeindevorstands war ein Novum in der Geschichte der Amberger Stadtverwaltung.

Die der Konstitution von 1808 folgenden Gemeindeedikte, vor allem das zweite vom 24. September, bedeuteten praktisch die vollständige Beseitigung der Kommunalautonomie, obwohl in den Städten und Märkten des Königreichs so genannte Munizipalgemeinden zu bilden waren, in denen ein Munizipalrat gewählt werden durfte. Die Anordnung wurde nur sehr schleppend umgesetzt. So lagen erst im Mai 1812 Vorschläge der Stadt zur Einführung einer neuen Verfassung und zur Bestellung von vier Munizipalräten und eines Kommunaladministrators vor. Daraufhin verfügte der König die beschleunigte Umsetzung der neuen Gemeindeverfassung. *Es wurde festgestellt, dass die Stadt mit ihren 832 Häusern, 1595 Familien und 5954 Seelen eine Munizipalgemeinde bildet, dass der bisherige Magistrat aufgelöst werde und ein Munizipalrat und eine besondere Kommunaladministration zu konstituieren seien.* Am 10. Oktober 1812 wurde Anton Weingärtner zum königlichen Kommunaladministrator ernannt. Parallel dazu wurde für Amberg als ehemaliger »Regierungsstadt« ein königlicher Stadtkommissär bestimmt.

Eine Verbesserung der Verhältnisse für die Städte und Märkte brachte das Gemeindeedikt von 1818 mit sich. Obwohl Amberg aufgrund seiner Größe »nur« eine Stadt zweiter Ordnung (500 bis 2000 Familien) war, blieb es als ehemalige Regierungsstadt der Kreisregierung unmittelbar nachgeordnet. Damit wurde es eine »unmittelbare«, in der Folge eine »kreisfreie« Stadt. Am 25. September 1818 wurde der bisherige Kommunaladministrator zum rechtskundigen Bürgermeister gewählt, womit die Zeit der Staatskuratel endete; Weingärtner blieb bis zum 6. Juni 1840 im Amt.

Besonders wichtig an diesem Gemeindeedikt war es, dass die Städte nicht nur ihre Vermögensfähigkeit wiedererlangten, sondern ebenso ihre Selbstverwaltungsbefugnisse erweitern konnten. Die Stadt Amberg bekam – wie die übrigen Städte des Königreichs – eine Magistratsverfassung. Dabei wählten die Bürger Wahlmänner, diese wiederum die Gemeindebevollmächtigten und Letztere dann die Mitglieder des Magistrats, der sich aus dem Bürgermeister sowie rechtskundigen und bürgerlichen Magistratsräten zusammensetzte. Eine weitere Verbesserung brachte die Gemeindeordnung vom 29. April 1869. Sie baute nicht nur die Kommunalautonomie weiter aus, sondern verlieh den Städten und Gemeinden in ihrem eigenen Wirkungskreis eine »Allzuständigkeit« (Emma Mages).

Hier ist besonders der Bereich des Heimatrechts zu nennen, der in Verbindung mit der Fürsorge für die Armen stand. Das Gesetz vom 11. September 1825 hatte im Königreich Bayern bis 1868 Ansässigmachung und Verehelichung geregelt. Erstere konnte nur mit einem gesicherten Nahrungs- und/oder Besitzstand erworben werden. Gleichzeitig war sie Vorbedingung für die Verehelichung, und beide zusammen waren Voraussetzung für den Erwerb der Heimat. Durch derartige Regelungen sollten Heiraten in der Unterschicht erschwert werden, da die Versorgung der Armen zu Lasten der Gemeinde ging, die deshalb – und das gilt auch für die Stadt Amberg – eine sehr restriktive Ansässigmachungs-Politik betrieb.

Religiöse Toleranz

Mit der »Amberger Resolution« vom 10. November 1800, die während des Aufenthalts des Kurfürsten in Amberg erging, dekretierte der bayerische Staat, *daß bey der Ansäßigmachung [...] die katholische Religions-Eigenschaft nicht ferner als eine Bedingniß anzusehen sey*, und leitete damit die Toleranz zwischen den Konfessionen ein. Doch nur zögerlich kamen die ersten Protestanten nach Amberg; in der Folgezeit nahm ihr Anteil beständig zu: »Vom Nullpunkt im Jahr 1800 kletterte er bis 1860 auf 5,7 Prozent und weiter bis 1910 auf 14,4 Prozent« (Werner Chrobak). Nachdem die Protestanten 1821 vergeblich versucht hatten, eine eigene Gemeinde zu bilden, erreichten sie am 13. Oktober 1850 die Genehmigung König Max II. zur Errichtung eines

AMBERGER EH'HÄUSL

Der Sage nach stand 1728, also drei Jahre nach Erlass des Ansässigmachungs- und Verehelichungsgesetzes, wieder ein mittelloses Paar vor der Entscheidung, aufs Heiraten zu verzichten oder die Stadt zu verlassen und andernorts sein Glück zu suchen. Da entdeckte der junge Mann in der heutigen Seminargasse eine schmale, zu einem Stadel führende Hofeinfahrt, die an beiden Seiten von Häusern begrenzt war. Der Besitzer der kaum genutzten Zufahrt verkaufte sie dem jungen Mann; damit verfügte das junge Paar bereits über die Seitenwände seiner zukünftigen Behausung und hatte nur noch einen Giebel zu bauen und ein Dach daraufzusetzen.

Formal waren so die Bedingungen des Amberger Magistrats erfüllt und einer Genehmigung zur Eheschließung stand nichts mehr im Wege. Wenig später soll sich ein weiteres heiratswilliges Paar bei den neuen Hausbesitzern gemeldet und ihnen ihr kleines Haus abgekauft haben. Danach soll das Häuschen, das heute auf drei Ebenen das kleinste Hotel der Welt birgt, rasch von Hand zu Hand gegangen sein und deshalb den Namen »Eh'häusl« bekommen haben.

Obwohl sich die Besitzabfolge des Anwesens – circa 30 Jahre – nicht von der anderer Häuser in der Stadt unterscheidet, bürgerte sich bald der Spruch ein:

»Wollte man ein Mädchen frei'n,
mußt' man Hausbesitzer sein.
Drum erwarb man dieses Haus,
hernach flog man wieder aus.«

ständigen Vikariats, zur Anstellung eines Vikars und zur Benützung des oberen Stockwerks *der bisher als Salzmagazin verwendeten so genannten Paulanerkirche [...] zu den gottesdienstlichen Versammlungen.* Schon Ende des Jahres, am 30. Dezember, wurde der Name des zukünftigen Vikars, Christoph Lotzbeck, bekannt, am 11. Mai 1851 wurde die Kirche geweiht.

Am 6. Juni 1862 verkaufte der *Salzbeamte Herrn Poßert von hier als Vertreter des k[öniglichen] Salinenärars* der protestantischen Kirchenverwaltung die gesamte Paulanerkirche zum Preis von 12 000 Gulden. Eine weitere Konsolidierung der Verhältnisse bildete die Installation des bisherigen Vikars Lotzbeck am 31. Mai 1863 als Pfarrer einer selbstständigen Pfarrei.

Der Grund für die zunehmende Anzahl der Protestanten lag nicht nur in der Garnison, sondern in der zweiten Hälfte des 19. Jhs. vor allem im Arbeitskräftebedarf der Gewehrfabrik, besonders unter ihrem »evangelischen« Direktor von Podewils, und des Emaillierwerks der Gebrüder Baumann. Deren Eigentümer förderten den Zuzug von evangelischen Arbeitern aus ihrer Heimat Wunsiedel ebenfalls.

Die staatliche Gesetzgebung, die allmählich Toleranz gewährte, bezog sich aber nicht nur auf Protestanten, sondern auch auf Juden, obwohl es bis 1861 dauern sollte, bis sie sich in allen Städten Bayerns niederlassen durften. Sie kamen nur ganz allmählich wieder nach Amberg, wobei die Voreingenommenheit ihnen gegenüber noch größer war als gegenüber den Protestanten. Dies illustriert beispielsweise eine Auseinandersetzung des Sulzbacher Rabbiners Dr. Wolf Schlessinger mit der Behauptung des Amberger Großhändlers, Magistratsrates und Landtagsabgeordneten Georg Pfäffinger von 1846. Dabei hatte letzterer den Vorwurf erhoben: *Nach Amberg kommen alle Montage 8 patentisierte jüdische Kaufleute, und zum Teil auch deren Weiber, Söhne und Töchter, und bleiben daselbst auch bis Freitag, sie treiben allen möglichen Handel zum großen Nachteile aller übrigen Handelsleute.* Dem hielt Schlessinger entgegen, dass nur *6 Patentisierte wirklich nach Amberg kommen, nämlich drei Männer, zwei ledige Söhne von Witwen und eine Witwe, von welchen 6 Personen aber 2 so sehr aller Mittel entblößt sind, dass sie gewiss keinem Kaufmann in Amberg noch je Schaden gebracht haben. Tatsache ist es endlich, dass auch nicht ein Einziger je Frau, Sohn oder Tochter bei sich hat […].* Noch 1849 verbot der Amberger Stadtmagistrat jüdischen Händlern, sich länger als 24 Stunden in der Stadt aufzuhalten.

In der zweiten Hälfte des 19. Jhs. ließen sich die ersten jüdischen Familien in Amberg nieder; genannt seien die Secklmann, Arnstein, Weinschenk und Oestreicher. Seit 1861 bildeten sie eine kleine jüdische Gemeinde, die 1881 über einen eigenen Betsaal verfügte. 1867 lassen sich 15 jüdische Einwohner nachweisen (0,1 % der Bevölkerung), 1880 57 (0,4 %) und 1899 81 (0,5 %). Sie eröffneten Schuh- und Textilgeschäfte, ein Kaufhaus und ein Bankgeschäft. 1894 kam es zur Errichtung einer israelitischen Kultusgemeinde, die seit 1896 zwei Gemeindehäuser mit Synagoge, die am 12. Januar 1897 feierlich eingeweiht wurde, Schulräume sowie seit 1927 einen Friedhof besaß.

König Ludwig I. und die Neuansiedlung von Ordensgemeinschaften

König Ludwig I., ein Schüler des großen Theologen Johann Michael Sailer, der seit 1829 als Bischof von Regensburg wirkte, setzte sich für die Wiederbesiedlung der säkularisierten Klöster in Bayern ein. Das erste vom König wieder begründete Kloster war das der Benediktiner in Metten 1830. Bis zum Jahr 1837 folgten weitere 75 Neugründungen. Im Bereich der Seelsorge setzte Ludwig vor allem auf das Wirken der Kapuziner und Franziskaner, weshalb er eine ganze Reihe von Niederlassungen der beiden Orden genehmigte.

Zu den vom König verfügten Neugründungen gehört das Franziskanerhospiz auf dem Amberger Mariahilfberg, das 1832 wieder zwei Patres, ein Laienbruder und ein Koch bezogen. Auf Drängen des Stadtmagistrats sandte schon ein Jahr später der Franziskanerprovinzial Johann Nepomuk Glöttner, ein gebürtiger Amberger, einen weiteren Pater auf den Berg. Das Hospiz wurde am 9. August 1908 zum Konvent erhoben.

Karolina Gerhardinger und die Armen Schulschwestern

1838 nahm Karolina Gerhardinger, die 1833 die Lehrgenossenschaft der »Armen Schulschwestern Unserer Lieben Frau« begründet und in Neunburg vorm Wald eine Mädchenschule eröffnet hatte, mit dem Amberger Stadtmagistrat Kontakt auf, der von König Ludwig I. ausdrücklich unterstützt wurde. Am 13. November 1839 trafen die ersten fünf Schwestern unter der Leitung der Ordensgründerin in Amberg ein. Sie hatten das »vordere Steinhaus« an der Vils, für das sich seither die Bezeichnung »Klösterl« einbürgerte, gekauft. Schon am 25. November eröffneten sie eine »Kleinkinder-Bewahranstalt«, die erste höhere Töchterschule der Oberpfalz und eine Industrie-Schule, die in etwa einer Berufsschule entsprach. Sie hatten rasch großen Zulauf und übernahmen zudem ab 1846 sämtliche Klassen der Mädchenvolksschule. Aufgrund der als ungesund erachteten Lage des »Klösterls« am Fluss – so soll es vermehrt zu Todesfällen gekommen sein – erwarben die Schulschwestern 1849 als zukünftiges Institutsgebäude das Bruckmüllersche Anwesen am Schrannenplatz, das unmittelbar an die Schulkirche, die ehemalige Kirche der Salesianerinnen, angrenzte. Im Jubiläumsjahr 1889 wirkten bereits 62 Schwestern in Amberg, die 1882 zusätzlich eine Haushaltungsschule auf dem Mariahilfberg eingerichtet hatten.

1918 übernahmen die Schulschwestern auf Wunsch des »Vereins erwerbstätiger Frauen und Mädchen«, der 1904 als »Verein für katholische Arbeiterinnen« gegründet worden war und sich 1915 den Namen »Maria Viktoria« gab, das Marienheim, wo sie Kindergarten, Suppenhort und Lehrküche unterhielten.

Barmherzige Schwestern vom Heiligen Vinzenz von Paul
König Ludwig I. hat die Barmherzigen Schwestern vom Hl. Vinzenz von Paul zwar nicht nach Amberg, aber immerhin nach Bayern geholt, wo er 1835 den Orden »als eine zunächst für die Krankenpflege in öffentlichen Krankenanstalten bestimmte religiöse Gemeinschaft, jedoch ohne klösterliche Verfassung« anerkannte (Emil C. Scherer). Die Niederlassung in München wurde zum Mutterhaus. Nach Amberg kamen die ersten Schwestern 1846, um sich der Pflege weiblicher Strafgefangener zu widmen. Vier Jahr später, 1850, begannen sie mit der Pflege der Patienten des Marienspitals, des neu gebauten städtischen Krankenhauses.

Die Barmherzigen Schwestern übernahmen in der Folgezeit darüber hinaus das von Stadtdekan Johann Heinrich Werner 1732 gegründete Waisenhaus sowie die seit 1853 im »Klösterl« bestehende »Maximilians-Rettungsanstalt für arme verwahrloste Kinder«, die bis zu ihrer Auflösung 1936 den Namen König Max II. führte. Das Gebäude hatte der Stadtmagistrat zur Errichtung der »Rettungsanstalt« von den Armen

MARIENKRANKENHAUS

Nachdem die aus dem Katharinen-Spital hervorgegangene Krankenanstalt nicht mehr den Anforderungen entsprach, *die man in unseren Zeiten an eine Krankenhausanstalt in einer Stadt höheren Ranges zu stellen berechtigt ist,* beschlossen die Gremien des Stadtmagistrats und der Gemeindebevollmächtigten am 17. Mai 1841 den Kauf eines Grundstückes, um *dort ein allgemeines Krankenhaus, zur Aufnahme barmherziger Schwestern geeignet, zu erbauen.* Die Entscheidung zum Bau fiel am 29. Januar 1845, die Grundsteinlegung geschah am 26. August 1847. Bei der Eröffnung am 25. August 1850 überreichte Bürgermeister Joseph Rezer vor dem Portal des Krankenhauses den Schlüssel offiziell an die Barmherzigen Schwestern.

Die Vinzentinerinnen, wie die Schwestern genannt wurden, hatten sich am 2. April 1850 vertraglich zur Pflege aller Patienten, mit Ausnahme der Wöchnerinnen und der Geschlechtskranken, nach den ärztlichen Anweisungen verpflichtet. Die ärztliche Betreuung der Patienten lag in den Händen des Stadtgerichtsarztes Dr. Luckinger, der gleichzeitig leitender und behandelnder Arzt war. Für chirurgische Eingriffe stand ihm der approbierte Bader Andreas Ehrensberger zur Seite. Aufgabe der Schwestern war darüber hinaus die Aufsicht über das unterstellte Dienstpersonal und die wirtschaftliche Betreuung des Krankenhauses, einschließlich der Landwirtschaft.

Am 3. April 1851 erließ der Stadtmagistrat eine Krankenhausordnung, der zufolge sich jeder Kranke *während des Aufenthaltes im städtischen Krankenhaus sittlich und anständig zu betragen und den Ordensschwestern die ihnen gebührende Achtung und Gehorsam zu erweisen [hatte].* Darüber hinaus durften die Kranken nur die ihnen verordneten Medikamente einnehmen. Der Verzehr anderer Speisen und Getränke als derjenigen, welche den Kranken gereicht wurden, war verboten. Die Kranken durften *nur solche Bücher und Schriften lesen, welche sie aus der Hand der Ordensschwestern erhielten.* Verboten waren Tabakrauchen, Kartenspielen und Lärmen im Haus. Während des Morgen- und Abendgebets hatten die Kranken absolute Ruhe zu bewahren.

Auf einer Anhöhe des Mariahilfbergs unterhalten sich zwei Schwestern des Marienspitals (in der Bildmitte). – Gezeichnet von Johann Gebhard und lithografiert von W. Englhardt in Nürnberg 1860

Schulschwestern gekauft. Die Barmherzigen Schwestern hatten die Verköstigung der Kinder zu gewährleisten, aus Mitteln der Anstalt waren Kleidung, Bett- und Leibwäsche, Holz und Licht sowie etwaige Krankenkosten zu bestreiten.

Die Revolution von 1848 und ihre Folgen

Nach anhaltenden und allmählich eskalierenden Unruhen sah sich König Ludwig I. gezwungen, am 6. März 1848 die so genannten »März-Forderungen« wie Ministerverantwortlichkeit, Pressefreiheit, Öffentlichkeit und Mündlichkeit bei Schwurgerichtsverhandlungen zu erfüllen. *Das hochherzige Königliche Geschenk erregte in der Hauptstadt der Oberpfalz (!) die innigste Freude, und brachte am 9. März in alle Bewohner Ambergs den freudigsten Jubel* (»Wochenblatt der Stadt Amberg«). Die weiß-blauen Rauten waren zum Symbol der Freiheit geworden: [...] *die Bewohner [zeigten sich] geziert mit weiß und blauen Kokarden auf den Hüten und weiß und blauen Schleifen und*

Bändern auf der Brust schon am frühen Morgen in freudetrunkener Bewegung [...] In allen Straßen sah man große und kleine Fahnen von weiß und blauer Farbe an den Häusern (»Wochenblatt der Stadt Amberg«).

Zu einem Festakt strömten die Menschen am Abend des 9. März 1848 vor dem mit einer Vielzahl von Fahnen geschmückten und festlich beleuchteten Rathaus zusammen. Erleuchtet waren Ambergs Straßen und Plätze und durch rothe und weiße bengalische Flammen der Mariahilfberg, von dem der Amberger Liederkranz im Schein von Fackeln auf die Stadt herunter zog. Ihm schloss sich beim Nabburger Tor des k[öniglichen] Bergamts Knappenschaft in Uniform und mit Grubenlichtern an. Von hier aus gelangte der Zug zum Marktplatz, wo schon die Studierenden der hiesigen k[öniglichen] Studienanstalt in schöner Ordnung mit ihrer Musik [...] aufgezogen [waren].

Nach einer Ansprache von Bürgermeister Joseph Rezer vom Rathausbalkon aus und einigen Musik-Productionen klang die Feier im Festsaal des Casinos aus, um sich nach der alten teutschen Weise auch mit Speise und Trank zu laben.

Obgleich König Ludwig I. mit seiner Proklamation der Revolution die Spitze genommen hatte, sah er sich nur knapp zwei Wochen später, am 19. März, zur Abdankung gezwungen. Maßgeblichen Anteil daran hatte seine Affäre mit Lola Montez. Eine bewusst missverstandene Auslegung des Revolutionsbegriffs mancher Amberger rügt ein Polizeibericht vom 19. März 1848: Im grellen Irrtume befindet sich Jeder, welcher glaubt, durch die neueren Zeitverhältnisse hätten sich alle Bande der gesetzlichen Ordnung aufgelöset, und Niemand brauche sich mehr an die bestehenden Gesetze zu binden (»Wochenblatt der Stadt Amberg«).

Politische Vereine und Tageszeitungen

Eine weitere Folge der Revolution bestand in der Bildung von weltanschaulich geprägten Vereinen. Bereits am 25. September 1848 konstituierte sich ein liberal-demokratischer »Volksverein«. Darüber hinaus öffneten sich der »Bürgerverein«, das »Casino« sowie der Gesangverein »Liederkranz« rasch liberalen Strömungen.

Mit einer Verzögerung von fast einem halben Jahr zog die katholisch-konservative Seite nach: Im März 1849 wurde ein

DAS AMBERGER SCHWURGERICHT

Eine Folge der Revolution von 1848 war die Einrichtung von Schwurgerichten. Obwohl ursprünglich Regensburg als Sitz eines solchen vorgesehen gewesen war, gelang es dem hiesigen Stadtmagistrat 1850/51, die Verlegung nach Amberg durchzusetzen, wo das Schwurgericht von 1852 bis 1911 im Rathaus untergebracht wurde: Als Schwurgerichtssaal fungierte der Große Rathaussaal, als Zeugenzimmer das »Gotische Zimmer«, als Geschworenenzimmer der Mittlere Rathaussaal und als Besprechungszimmer der Richter der Kleine Rathaussaal.

»Pius-Verein« gegründet, der aber bereits 1854 aufgrund scheinbar unüberwindlicher Differenzen seiner Mitglieder schon wieder vor der Auflösung stand. Ihm folgte 1865 die »Concordia«, die ihrerseits aber erst durch das große Engagement des Amberger Buchhändlers und Verlagsleiters Joseph Habbel, des Bezirksgerichtsassessors Johann Baptist Walter und des Stadtpfarrers Michael Helmberger zu einem schlagkräftigen Instrument der katholischen Sache werden sollte.

Die Anfänge der Tagespresse in Amberg sind ebenfalls ein Ergebnis der politischen Entwicklung. Nachdem Hermann von Train die Wochenzeitung »Oberpfälzer Zeitblatt« in das »Amberger Tagblatt« umgewandelt hatte, erschien am 1. Januar 1851 erstmals eine Tageszeitung in Amberg. Das »Tagblatt« verstand sich von Anfang an als »Sprachrohr des Liberalismus« (Werner Chrobak). Zum 1. Januar 1874 erwarb Fedor Pohl, der in Amberg eine Buchhandlung, eine Druckerei und einen Verlag besaß, die Zeitung. Wie aus der ersten von ihm verantworteten Ausgabe hervorgeht, übernahm Pohl, der erste evangelische Magistratsrat seit 1628, zudem die Redaktion des liberalen Blattes, das *seine Stelle in der Reihe derjenigen Blätter einnehmen [sollte], die mit aller Entschiedenheit die Sache der Freiheit und des Fortschritts in allen Lebensbereichen vertreten.*

Stadtpfarrer Michael Helmberger erkannte rasch, dass der katholisch-konservativen Partei daran gelegen sein musste, den publizistischen Vorsprung der Liberalen durch die Herausgabe eines eigenen Blattes wettzumachen. Dabei gelang es ihm, mit dem Regensburger Friedrich Pustet, der in Amberg bereits eine Filiale seiner Buchhandlung unterhielt, einen renommierten Zeitungsmann für sein Vorhaben zu gewinnen. Im Juni 1868 erschien die erste Ausgabe der »Amberger Volks-Zeitung für Stadt und Land«. Sie betrachtete sich selbst als konservativ, wandte sich gegen die deutlich werdende Hegemonie Preußens, sah ihre Basis im politischen Katholizismus und suchte in dessen Sinn nach einer Lösung der »sozialen« Frage. Joseph Habbel, der seit 1869 als Redakteur des Blattes fungierte, kaufte ein Jahr später von Pustet dessen Amberger Zeitungsverlag und seine Buchhandlung. Er wurde zur wichtigsten Figur des hiesigen Zeitungswesens und zum Vorkämpfer der katholisch-konservativen Sache.

Das »Amberger Tagblatt« erschien am 31.10.1933 letztmals als eigenständiges Blatt, 1934 als »Bayerische Ostmark«. Gleichgeschaltet wurde auch die »Volkszeitung«, die von 1939 bis 1945 als »Amberg-Sulzbacher Zeitung« gelesen wurde.

Am 31. Mai 1946 kam mit dem »neuen Tag« unter der Lizenznummer 19 eine Zeitung für den Weidener und Amberger Raum, am 2. Oktober 1948 mit der »Amberger Zeitung« zum ersten Mal wieder ein Lokalblatt in Amberg heraus. Mit dem »Amberger Volksblatt« folgte am 23. November 1949 eine zweite Zeitung, die in der Mitte der 1970er-Jahre an die »Mittelbayerische Zeitung« in Regensburg verkauft wurde. Mit den »Neuen Amberger Nachrichten« existierte in den Jahren 1953 bis 1955 sogar ein drittes Blatt vor Ort.

Katholikentag von 1884

Der größte und nach außen weithin sichtbare Erfolg Stadtpfarrer Helmbergers, zu dessen Verdiensten die vollständige Renovierung der Martinskirche und deren neugotische Ausgestaltung gehört, bestand darin, dass er den 31. Deutschen Katholikentag von 1884 nach Amberg holen konnte, zu dem in der Zeit vom 31. August bis 4. September 2223 Teilnehmer in die damals knapp 12 000 Einwohner zählende Stadt kamen.

Versammlungszentrum war das Maltesergebäude. Hier wurde in verschiedenen Räumen getagt, die geschlossenen Generalversammlungen fanden im Kongregationssaal, die öffentlichen in der Georgskirche statt. Obwohl in insgesamt sieben Sektionen konferiert wurde, kam der Diskussion der Sozialen Frage in Amberg zentrale Bedeutung zu. Dabei wurde in den sozialpolitischen Kommitées eine ganze Reihe von Beschlüssen zu den Themen Kapital, Zins und Wucher sowie zur Arbeiterfrage gefasst, die richtungweisend werden sollten; erinnert sei nur an die Gründung von Arbeitervereinen. Der politischen Dimension der Veranstaltung trug die Teilnahme des »Zentrumsführers« Dr. Ludwig Windthorst Rechnung, der anlässlich des Festbanketts am 4. September 1884 einen Toast *auf die liebe schöne Stadt Amberg* ausbrachte.

Im Zusammenhang mit dem »Katholikentag« spielte die Wallfahrt auf den Mariahilfberg eine nicht unerhebliche Rolle. So zogen am 3. September 1884, genau an dem Tag, an dem sich die Verbringung des Gnadenbilds auf den Berg zum 250. Mal jährte, mehr als 10 000 Teilnehmer des Katholikentags und Wallfahrer aus der Oberpfalz in einer prächtigen Prozession wieder hinauf.

Hinauswachsen über die alten Mauern

Als die Stadt 1788 offiziell aufgehört hatte, Festung zu sein, begann man zunächst, die barocke Fortifikation in eine Allee umzuwandeln. Am 8. April 1801 genehmigte Kurfürst Maximilian IV. Joseph, dass *der um die Stadt Amberg vorzüglich durch die thätige rühmliche Bemühung Unseres Regierungs-Praesidenten Freyherrn von Eckher angelegte Spaziergang* erweitert wurde; dazu sollten die um die Stadt liegenden Schanzen verwendet werden. Die Durchführung sollte bei einer Verschönerungskommission liegen. Freiherr von Egcker ließ die Schanzen vor den Stadttoren einebnen und an ihrer statt Bäume pflanzen. Dass die Arbeiten 1826 abgeschlossen waren, zeigt die Aufstellung des Max-Denkmals, mit dem Amberg das Korsett seiner alten Mauern erstmals überwand. Die Stadt widmete das Monument vor dem Vilstor auf dem ebenfalls nach ihm benannten Platz König Max I. Joseph zu dessen 25-jährigem Regierungsjubiläum. Die Ausführung lag in den Händen des niederbayerischen Hofbildhauers Joseph Heinrich Kirchmayer, der bereits in Freising und Neumarkt Denkmäler für den König geschaffen hatte. In der Folgezeit wurde die Stadtmauer zwischen Englischem Garten und Bahnhof sowie zwischen Nabburger Tor und Zeughaus überwiegend an Privatleute verkauft und für Wohnzwecke ausgebaut. Nachdem Teile der Zwingermauer zwischen Vils- und Ziegeltor abgebrochen worden waren, konnten 1867 Bauplätze für die Häuser Fronfestgasse 12 bis 30 gewonnen werden. Zwischen Vilstor und St. Georg wurde der Wehrgang fast vollständig beseitigt.

1870 folgte der Abbruch des Neutors, das anstelle des von den Jesuiten beseitigten Georgstors errichtet worden war und aufgrund seiner unzureichenden Bauweise 200 Jahre lang für Auseinandersetzungen zwischen Stadt und Regierung gesorgt hatte. Beseitigt wurde daneben die gesamte mittelalterliche Stadtbefestigung zwischen Neu- und Wingershofer Tor; hier entstanden 1896 großbürgerliche Häuser im »Ringstraßenstil« der Jahrhundertwende. Fünf Jahre zuvor hatte die Stadt bei der Regierung der Oberpfalz vergeblich den Abbruch des Ziegeltors beantragt, da es sich dabei *weder um die Beseitigung eines öffentlichen Denkmales noch eines Bauwerkes von Kunstwerthe handelt.*

Wirtschaftliche Entwicklung

Zu Beginn des 19. Jhs. war Amberg noch eine vergleichsweise kleine Stadt, wenngleich die Zahl ihrer Einwohner stieg. So werden für das Jahr 1804 6316 Einwohner angegeben, 1818 waren es bereits 7090, 1871 13 005 und 1900 22 039 Einwohner. Das Gros der Amberger Bürger bestand zumindest in der Mitte des 19. Jhs. noch aus Handwerkern und kleinen Gewerbetreibenden. *Ein grosser Theil der Bürger und Einwohner Ambergs überhaupt, welche Gewerbe treiben, behandeln diese fast nur als Nebensache, und die Landwirthschaft als den vorzüglichsten Nahrungszweig* (Joseph v. Destouches).

Als Institut der Armenfürsorge beschloss der Amberger Stadtmagistrat 1824 die Errichtung einer Sparkasse, nachdem er dazu von der Regierung aufgefordert worden war. Sie sollte *den arbeitenden und dienenden Klassen* und Kindern helfen, ihre [...] *Ersparnisse nicht nur sicher zu verwahren*, sondern durch Verzinsung zu mehren. Damit sollte es ihnen möglich sein, *zum Besitz eines eigenen Heerdes zu gelangen*, oder im Notfall über finanzielle Mittel zu verfügen, *statt dem bittersten Elende und gänzlicher Armut preis gegeben zu sein* (Präambel der Gründungsstatuten).

Vom Bergamt zur Luitpoldhütte

1691 gab Kurfürst Max Emanuel den Anstoß, den Bergbau in Amberg wieder aufzunehmen, gewährte *freyes Bergwerk*, stellte alle den Bergbau Treibenden unter seinen Schutz und war bereit, sie als »Mitgewerken« anzunehmen. 1693 stimmte die Stadt Amberg zu, gemeinsam mit dem Landesherrn den Bergbau wieder in Angriff zu nehmen, von dem ihr nach Abzug des Bergzehnts die Hälfte der Ausbeute zustand. Die Beteiligung der Stadt an den aus dem Bergbau resultierenden Einkünften erlosch 100 Jahre später, 1793, unter Kurfürst Karl Theodor. Nachdem der Bergbau ein *ärarialisches*, staatliches, Unternehmen geworden war, wurde er durch das Bergamt Amberg verwaltet.

1818 begann der Abbau der Erze erneut im alten Hauptstollen, 1844 kam der »Theresienstollen«, in der Mitte des 19. Jhs. der neue »Ludwigschacht« hinzu. Vor allem mit dem Eisenbahnbau stieg die Nachfrage nach Eisenerz beträchtlich. Abnehmer der in Amberg abgebauten Erze wurde 1856 die »Eisenwerk-Gesellschaft Maximilianshütte« in Sulzbach, da vor Ort keine Möglichkeit zur Verhüttung bestand. Der Vertrag mit der »Maxhütte« wurde mehrfach gekündigt und verlängert, bis am 27. September 1883 am Amberger Erzberg ein Hochofen angeblasen wurde, in dem die Erze vor Ort verarbeitet werden konnten. Das Werk bekam anlässlich der Einweihung des zweiten Hochofens am 12. März 1911, dem 90. Geburtstag von Prinzregent Luitpold, die ehrende Bezeichnung »Luitpoldhütte«.

GEWEHRFABRIK AMBERG

Sie entstand mit der Verlegung des Armaturwerks von Fortschau, das »von 1689 bis 1801 die einzige größere Fabrikationsstätte für Handfeuerwaffen in Bayern [war]« (Dirk Götschmann), in das Münzgebäude nach Amberg. Enorme Schwierigkeiten wie ungenügende Wasserkraft, schlecht ausgebildetes Personal sowie ständiger Wechsel der vorgesetzten Behörden bestimmten die Anfangszeit. Eine tiefe Zäsur erlebte die Manufaktur 1809: Bei ihrem Aufbruch nach Böhmen plünderten österreichische Truppen *die schön eingerichtete Gewehrfabrike [...] und was sie nicht fortschleppen konnten, zertrümmerten und verdarben [sie]*. Eine entscheidende Wende brachte die endgültige Unterstellung des Betriebs unter das Königliche Staatsministerium der Armee 1820.

Zur führenden Waffenschmiede des Königsreichs Bayern entwickelte sich die Gewehrfabrik unter Philipp Ludwig Freiherr von Podewils, der 1853 im Range eines Majors zu deren Direktor ernannt wurde. Bereits 1860 konnte sie durch den Erwerb angrenzender Häuser erweitert werden. Besonders die technischen Entwicklungen ihres Direktors im Bereich der Waffentechnik bestärkten den Rang des Amberger Werks. Ihr Produktionsumfang wurde 1876 anlässlich der Verabschiedung von Podewils deutlich: *In der Gewehrfabrik wurde zeitweise 15 Stunden in 2 Schichten gearbeitet, dabei wurden täglich 150 Gewehre fertig gestellt. Im ganzen Jahr wurden 45 670 Gewehre M 71 neu gefertigt, 124 540 Gewehre M 698 für die Patrone M 71 abgeändert.*

1878 kam die gesamte Produktion der Waffenschmiede in einen neu gebauten Komplex südlich des Nabburger Tores, der in der Folgezeit beständig erweitert und modernisiert wurde. Die Geschichte der Gewehrfabrik endete mit der Auflösung der bayerischen Armee 1919. Sie ging unter der Bezeichnung »Reichswerke Amberg« an das Deutsche Reich über; schließlich kam es zur Gründung der »Deutsche Präzisions-Werkzeuge AG (DEPRAG)«. Als 1931 deren Schließung unabwendbar schien, entschloss sich der damalige Werksleiter, Otto-Carl Schulz, zur Übernahme der Produktion und zur Gründung der »DEPRAG Preßluftmaschinen G.m.b.H.« Heute ist die DEPRAG Schulz GmbH u. Co. ein weltweit führender Anbieter von Schraubtechnik, Automation, Druckluftmotoren und Druckluftwerkzeugen.

Bergarbeiter vor dem Eingang zum 1844 in Betrieb genommenen Theresien-stollen, um 1900

Manufakturen

An der Wende vom 18. zum 19. Jh. bestanden in Amberg drei *Fabriken* (Joseph v. Destouches), bei denen es sich jedoch – zumindest in deren Anfangszeit – mehr um Manufakturen handelte.

Der zweite Betrieb neben der Gewehrfabrik war die Fayencemanufaktur, die Bürgermeister Simon Hetzendörfer in einem Gartenhaus vor dem Ziegeltor mit kurfürstlicher Konzession vom 18. August 1759 gegründet hatte. Unter Stephan Beiml, Eustach Fleischmann und Josef Mayer, die das Unternehmen 1777 gekauft hatten, war der Betrieb sehr erfolgreich. 1800 ging die Firma an den Blaumaler Heinrich Hochgesang aus Bayreuth, der die 1796 begonnene Umstellung der Produktion auf Steingut fortsetzte. Nach der Übernahme des Werks durch Eduard Kick 1846 erlebte es eine große Blüte. 1911 endete seine Geschichte, nachdem Porzellan und Emaille dem Steingut den Rang abgelaufen hatten.

Ebenfalls in das 18. Jh. geht die Herstellung von Dosen mit französischem Lack zurück, mit der ein Mann namens Felsner aus Schmidmühlen 1773 in Amberg begonnen hatte. Die Fabrikation florierte, nachdem sie der Amberger Lederer Joseph Fleischmann übernommen hatte. Dabei wurden die Deckel der 24 000 jährlich gefertigten Dosen bemalt und dann mit Lack überzogen. *Die Malereyen enthalten den Geschmack der Besteller, oder verschiedenen Ideen und Angaben des Fabrikanten selbst. Sie bestehen meistens in Landschaften, Portraiten, auch Scenen, und Allegorien, manchmals aus individuellen witzigen Gedanken ihrer Besteller* (Joseph v. Destouches). Mit dem Tod des Malers fand die Geschichte der Manufaktur ihr Ende.

Anbindung an das Bahnnetz

Obwohl sich die Stadt seit 1838 um den Bahnanschluss bemüht hatte, fuhr erst am 12. Dezember 1859 der erste Zug der Linie Nürnberg–Schwandorf–Regensburg–München in den Amberger Bahnhof ein, der nach den Plänen des Direktions-Architekten der Ostbahn-Gesellschaft, Heinrich von Hügel, im »Maximilianstil« erbaut worden war. Um den Bahnhof besser an die Stadt anzubinden, kam es 1859/60 zur weiträumigen Öffnung der Stadtmauer und zum Abbruch einiger Häuser am Platz »Auf der Wart«, darunter des »Türkenwirtshauses«. Teile der kurz zuvor geschaffenen Grünanlagen mussten ebenfalls wieder aufgegeben werden.

Nachdem die von den Städten Amberg und Nürnberg favorisierte Bahnstrecke von Nürnberg über Amberg und Waidhaus nach Böhmen gescheitert war, stieg Schwandorf zum Eisenbahnknotenpunkt der mittleren Oberpfalz auf. Sehr negativ für Amberg wirkte sich darüber hinaus die 1873 eröffnete Bahnlinie von Nürnberg über Neumarkt nach Regensburg aus. Ein Gutachten der »Königlichen Filialbank« von 1860 im Zusammenhang mit einer geplanten Niederlassung des Kreditinstituts weist trotz des kurz zuvor erfolgten Bahnanschlusses in Amberg auf den *ziemlich unbedeutenden Stand der dortigen Handels- und Industrieverhältnisse* hin; trotzdem kam es zur Eröffnung einer Filiale der späteren »Bayerischen Staatsbank«.

Zur Hauptstrecke kamen drei Lokalbahnen. So konnte am 5. Oktober 1898 die für die Kaolinindustrie bedeutsame Linie Amberg–Schnaittenbach feierlich ihrer Bestimmung übergeben werden, am 5. Dezember 1903 folgten die Strecken Amberg–Kastl–Lauterhofen und am 1. Mai 1910 Amberg–Schmidmühlen.

Das Stanz- und Emaillierwerk der Gebr. Baumann als prosperierender Industriebetrieb. – Zeichnung von 1909

Energieversorgung

Am Anfang der Amberger Energieversorgung steht die Gründung der »Actiengesellschaft für Gasbeleuchtung in Amberg« am 9. Juni 1861. Vorausgegangen war ein am 2. März 1861 zwischen dem Stadtmagistrat und dem Ingenieur Carl Emil Spreng geschlossener Konzessionsvertrag, der ihn zur Anlage einer Gasfabrik und zur Einführung der Gasbeleuchtung bevollmächtigte. Als problematisch erwies es sich, dass die Bevölkerung wenig Interesse zeigte, Aktien der neuen Gesellschaft zu zeichnen; von den 220 Aktien, die verkauft werden hätten sollen, konnten nur 27 abgesetzt werden; die verbleibenden 193 übernahm deshalb die Stadt Amberg. Da das Aktienkapital nicht ausreichte, ging das Gaswerk 1882 vollständig in städtischen Besitz über. 1869 beleuchteten 135 Laternen die Stadt, 1917 waren es bereits 414. Ursprünglich sollte das Steinkohlengas nur der Straßenbeleuchtung dienen, doch schon bald wurde es in Privathaushalten und gewerblichen Betrieben verwendet, nachdem ein Straßenrohrnetz verlegt worden war.

EMAILFABRIK GEBR. BAUMANN

Christian Baumann aus Wunsiedel eröffnete 1864 in der Unteren Nabburgergasse eine Spenglerei, 1865 kam sein Bruder Georg nach. Noch im gleichen Jahr verlegte ihre Mutter, Katharina Baumann, ihre Spenglerei, die sie bis 1872 mit ihrem Sohn Johann führte, ebenfalls nach Amberg. Nach dem Rückzug der Mutter aus dem Geschäftsleben vereinigten die Brüder ihre Betriebe und *kauften das östlich der Stadt gelegene Landhaus des Advokaten Dengler mit einem 4 Tagwerk großen Garten um 14 000 Gulden an und errichteten ein Blechwerk, welches bald zu hoher Blüte gelangte* (Josef Dollacker).

Schon 1869 hatten sie erste Versuche unternommen, *die Rohblechgeschirre mit einem glasartigen Überzug, der Schmalte oder Emaille zu versehen, um mit der Unzerbrechlichkeit des Blechgeschirres die Vorzüge der Tonware zu vereinen* (Josef Dollacker). 1876 begann mit dem ersten Brennofen die Emaille-Produktion. 100 Arbeiter waren im Werk beschäftigt, das 1881 beträchtlich erweitert wurde. Von großer Bedeutung für das Unternehmen, vor allem im Hinblick auf Aufträge aus dem Ausland, war die Verleihung einer Goldmedaille auf der »Bayerischen Landesausstellung für Industrie und Gewerbe« in Nürnberg 1892. Sieben Jahre später zählte die Baumannsche Fabrik bereits 2000 Mitarbeiter. Ihren Höhepunkt erreichte die Beschäftigungszahl 1904/05 mit 2600 Mitarbeitern. Aufwändig gestaltete Kataloge in vielen Sprachen zeigen, dass die Baumannsche Fabrik zu einem Weltunternehmen geworden war. Doch Plastik und Kunststoff liefen der Emaille nach dem Zweiten Weltkrieg den Rang ab, das Unternehmen meldete 1984 Insolvenz an.

Mit dem Wachsen der Bevölkerung zeigte sich, dass die bisherige Wasserversorgung völlig unzureichend war. Obwohl sich der Magistrat seit 1872 damit beschäftigte, übertrug er erst am 23. März 1893 dem Nürnberger Oberingenieur Heinrich Kullman den Bau einer Wasserleitung, die bereits am 2. Oktober des selben Jahres eingeweiht werden konnte.

Es war ein singuläres Ereignis, als 1882 erstmals elektrisches Licht im Schaufenster des Seifengeschäfts Ludwig Feil brannte. Die Stromversorgung der Stadt begann erst 1911; ermöglicht wurde sie durch einen Vertrag der Stadt mit dem Königlichen Berg- und Hüttenamt Amberg, wo das in den Hochöfen anfallende Gichtgas der Stromerzeugung mittels Dampfturbinen diente.

Bürgerliche Vereinskultur

Neben dem zumeist adeligen Offizierskorps der Garnison Amberg war es vor allem das gehobene Bürgertum, das im 19. Jh. in so genannten Honoratiorenvereinen zusammenfand. Deren Anfänge reichen bis zum Jahr 1803 zurück, als der kurfürstliche Rat Joseph von Destouches die Gesellschaft »Museum« gründete. Er sah den *Zweck dieser Bildungsanstalt [...] im Fortschreiten literarischer Kenntnisse mit dem Geist und den Bedürfnissen der Zeit, in der Erhaltung eines reinen Geschmackes, einer unbefangenen erheiternden Konversation.* Vollmitglied konnte jeder Mann von gutem Ruf, einer abgeschlossenen Bildung und Staatsstellung oder in Ausübung eines selbstständigen Gewerbes werden.

Zu Spannungen im Verein kam es in der Folgezeit immer wieder darüber, ob die Bildung oder das Vergnügen im Vordergrund stehen sollten. Letzterem huldigte der 1823 gegründete Verein »Frohsinn«, wodurch es zu Abwanderungen vom »Museum« kam. Der »Frohsinn« nahm 1828 den Namen »Harmonie« an und ging schließlich in dem 1832 gegründeten »Casino« auf. Der Bildung dienten ein Leseinstitut, dem Vergnügen jährlich sechs Bälle, Armbrustschießen und Kegeln sowie seit dem letzten Drittel des 19. Jhs. so genannte Herrenabende.

Ebenfalls 1832 konstituierte sich der »Bürgerverein Amberg«, der seiner Satzung nach die »Gesellschaftszwecke« »Literatur« und »gesellige Unterhaltung« verfolgte. Um den ersten Vereinszweck zu erreichen, bezog der »Bürgerverein« Zeitungen und Zeitschriften, die den Mitgliedern in einem Lesezimmer zur Verfügung standen. Höhepunkte der Geselligkeit bildeten große Feste und Bälle, die der Verein zumeist anlässlich besonderer Vorkommnisse oder Feiern im regierenden Haus der Wittelsbacher veranstaltete.

CARL SEDLMAYER – GRÜNDUNGSVATER DER »MÜNCHENER LÖWEN« UND DES TV 1861 AMBERG

Der Amberger Buchbindermeister Carl Sedlmayer gehörte zu den Gründungsmitgliedern des »Münchener Turnvereins«, der am 15. Juli 1848 im Saal der »Buttleschen Brauerei zum Bayerischen Löwen« das Licht der Welt erblickte. Die Obrigkeit verbot den Verein als *Anstalt der Verpestung,* weshalb es erst 1860 zur offiziellen Gründung kam. Im Jahr 1899 wurde die Fußballabteilung ins Leben gerufen, die den Namen des Vereins »TSV 1860 München« über die Grenzen Münchens hinaustragen sollte.

Nach dem Verbot des Vereins war Sedlmayer 1850 aus München ausgewiesen worden und nach Amberg zurückgekehrt, wo er beim Stadtmagistrat die Genehmigung zur Einrichtung einer Privatturnanstalt beantragte. *Da die Turner politisch verdächtig waren und er [= Sedlmayer] außerdem einen Schlapphut trug, wurde er lange Zeit demokratischer Neigungen beschuldigt, bis er im Jahre 1871 seine echt deutsche Gesinnung bestätigen konnte* (Josef Dollacker).

1852 gründete er das »Steiger-Corps«, das besonders bei der Brandbekämpfung zum Einsatz kam. 1858 erhielten die Turner von der Stadt einen Platz vor dem Wingershofer Tor. Eine Versammlung vom 24. August 1861 beschloss, das »Steiger-Corps« in einen Turnverein, den »TV 1861 Amberg« umzuwandeln.

Daneben engagierte sich Sedlmayer im »Gewerbeverein«, der von Amberger Kaufleuten und Handwerkern zur Förderung des Gewerbefleißes gegründet worden war, und wirkte bei der Gründung des »Credit-Vereins«, der späteren »Volksbank«, mit, der darauf abzielte, Handwerkern und Kleingewerbetreibenden mit Krediten unter die Arme zu greifen. Er starb am 28. April 1901 in Amberg, wo er auf dem Dreifaltigkeitsfriedhof seine letzte Ruhestätte fand.

Daneben entstand eine Vielzahl von Vereinen, die der Pflege bestimmter Neigungen oder Interessen dienten. Geschichtsinteressierte kamen im »Historischen Verein« zusammen, sozial Engagierte im »Elisabethenverein« oder im »Verein für entlassene Sträflinge«, Tierfreunde unterstützten den »Verein gegen Tierquälerei«. Wer Geselligkeit suchte, traf sich in Gesellschaften wie »Eintracht«, »Erholung«, »Haarzopfia«, im »Zipfelhaubenclub«, später »Club Humor 1892«, oder der »Maltheser-Gesellschaft«, seit 1863 »Malteser-Ritterschaft«. Daneben hatten Vereinigungen Zulauf, die sich den unterschiedlichsten sportlichen Aktivitäten widmeten, wobei das Spektrum von den Radfahrern im »Velociped-Club« über die Schützen bis zu den Turnern reichte.

Erwähnt seien darüber hinaus die Vereine, die zur Lösung der sozialen Frage beitragen wollten, wie der »Gesellen-« und »Vinzentiusverein«, sowie diejenigen, die von den Arbeitern eines Betriebes gegründet worden waren. Immer wieder entstanden neue Gruppierungen, so 1881 ein »Damengesangverein« und ein »Verein gegen Hausbettel«, gleichzeitig lösten sich andere auf, so der »Stenografenverein« im selben Jahr. 1931 existierten 269 Vereine in Amberg.

Die Bierstadt Amberg

Im Mittelalter hatten, wie aus einer Bierordnung von 1456 hervorgeht, alle Bewohner Ambergs das Recht, Gerstensaft für den Eigenbedarf und gewerbsmäßig zu brauen sowie auszuschenken. Während in der Frühzeit die Bürger das Bier in ihren Häusern selbst gesotten hatten, nahmen sie im ausgehenden Mittelalter ihr Braurecht in »Lohnbrauereien« wahr. Der Umfang des in Amberg erzeugten Bieres war vor allem im 16. Jh. beträchtlich. Seit dem 17. Jh. kam das von der Weißbräugesellschaft (s. S. 72) produzierte Weißbier hinzu. Im 18. Jh. bestanden in Amberg sechs Kommunbrauhäuser, wobei die Biererzeugung des 18. Jhs. deutlich unter der des 16. Jhs. lag.

Nicht unerwähnt bleiben dürfen die Klosterbrauereien. Erstmals schriftlich nachweisen lässt sich 1490 ein Brauhaus der Franziskaner, das nach der Säkularisation 1803 der Mehlhändler Thomas Bruckmüller zusammen mit dem Kloster ersteigerte. Die Familie Bruckmüller führt die von den Franziskanern begonnene Brautradition bis zum heutigen Tag fort. Die Jesuiten erhielten 1693 ebenfalls eine Braukonzession. Nach der Auflösung des Ordens 1773 betrieb der Malteser-Ritterorden die

BRUDER BARNABAS UND DER SALVATOR

Der 1750 in Fischbach bei Nittenau geborene Valentin Stefan Still, der unter dem Namen Frater Barnabas 1773 als Laienbruder in das Amberger Paulanerkloster eintrat, sollte zum berühmtesten Repräsentanten seines Ordens nicht nur vor Ort werden. Er hatte bei seinem Eintritt bereits eine Lehre als Bierbrauer abgeschlossen und betätigte sich auf diesem Sektor im Kloster weiter, wobei er so gute Erfolge erzielte, dass er schon 1774 nach München in das Paulanerkloster »ob der Au« kam. Hier widmete er sich – sicherlich mit Genehmigung seiner Ordensoberen – intensiver Forschungen im Bereich der Malz- und Hopfenbearbeitung. Sein Hauptziel war die Produktion eines Starkbieres, das die Einhaltung der strengen kirchlichen Fastengebote in der vorösterlichen Zeit erleichtern sollte. Der große Durchbruch kam mit dem 1780 erstmals ausgeschenkten dunklen Starkbier, dem »Heilig-Vater-Bier«, später »Salvator«. Der plötzliche Ruhm schien Frater Barnabas aber etwas zu Kopf gestiegen zu sein; er schuf sich bei seinen Mitbrüdern nicht nur Freunde. Vielleicht kehrte er deshalb 1788 wieder nach Amberg zurück. Man holte ihn aber bald wieder nach München, wo er nach längerer Krankheit 1795 im Alter von nur 45 Jahren starb, nicht ohne vorher das »Geheimnis« seines Bockbiers weitergegeben zu haben.

Braustätte von 1781 bis zu seiner Aufhebung 1808. Sie fiel an den bayerischen Staat; auf dem Weg der Versteigerung kam sie 1821 an das Königliche Studienseminar. 1993 schloss die Malteserbrauerei das Sudhaus für immer, »ihr« Bier produziert seitdem die Regensburger Brauerei »Bischofshof«. Die Paulaner unterhielten seit 1717 ebenfalls eine Brauerei; bei der Aufhebung des Klosters 1803 wurde als erstes das Brauhaus verkauft; damit endete deren Geschichte.

Das Bierbrauen änderte sich durch die Beseitigung des Kommunbraurechts 1807. In der zweiten Hälfte des 19. Jhs. wurde in sechs »bürgerlichen Brauhäusern«, einem Kommunbrauhaus der Hausbrauer und schließlich dem Brauhaus des Studienseminars Bier produziert. An der Wende vom 19. zum 20. Jh. lassen sich 28 Bierbrauer in Amberg nachweisen. Eine

Verabschiedung eines Bataillons des 6. Königlich Bayerischen Infanterie-Regiments am 7. August 1914

ganze Reihe von Braustätten verschwand in den 1970er- und 1980er-Jahren. Heute verfügen nur noch die Brauereien Bruckmüller, Kummert, Schloderer, Sterk und Winkler sowie die Hausbrauerei »Am Sudhang« über eigene Brauhäuser.

Im Ersten Weltkrieg

Das 6. Bayerische Infanterie-Regiment, das in Amberg in Garnison lag und sich seit dem 6. Juli 1914 in Grafenwöhr aufhielt, wurde angesichts der angespannten politischen Lage am 29. Juli nach Amberg zurückverlegt. Am Abend des 1. August brachte der Draht den Mobilmachungsbefehl. Die Bevölkerung deckte sich – soweit möglich – mit Lebensmitteln ein. Sofort erhöhte die Gewehrfabrik die Zahl ihrer Arbeiter und der Arbeitsstunden. Zum Heer rückten neben Bürgermeister Dr. Eduard Klug zwei Magistratsräte und fünf Gemeindebevollmächtigte sowie 27 Beamte und zahlreiche Arbeiter der städtischen Werke ein. In der Folge übernahm Rechtsrat Dr. Max Josef Pollwein die Amtsgeschäfte des Bürgermeisters. Am 6. August war die Mobilmachung der »Sechser« unter ihrem neuen Kommandeur Oberst Arnold (seit

Lebensmittelausgabe in der Zeit des Ersten Weltkriegs

1918 Ritter von) Möhl, der das Regiment zum 1. August übernommen hatte, abgeschlossen. Der erste Transport von Verwundeten traf bereits am 26. August ein, zwei Tage später kamen die
ersten französischen Kriegsgefangenen an, die zunächst, bevor
das Kriegsgefangenenlager auf der Kümmersbrucker Heide eingerichtet war, in Stallungen der neu erbauten Artilleriekaserne
(Leopoldkaserne) untergebracht wurden. Am 19. September
wurden 940 000 Mark auf die erste Kriegsanleihe gezeichnet,
200 000 Mark stammten von der Stadt Amberg.

Schon 1915 waren für Lebensmittel und Dinge des täglichen
Bedarfs Höchstpreise festgesetzt worden. Die Bevölkerung bezog
aber nicht nur die auf Karten zugewiesenen Lebensmittel, son-
dern kaufte daneben gegen höhere Preise bei den Produzenten.
Der Schleichhandel gefährdete die Versorgung stark. Zur Ergän-
zung des Heeres wurden laufend jüngere Jahrgänge einberufen.
*Die Schlussprüfung am Gymnasium [= Erasmus-Gymnasium] machten nur zwei
Schüler, zwei waren gefallen, 20 standen im Feld (Josef Dollacker).*

Ein Jahr später wurde die Zuteilung von Lebensmitteln
noch weiter ausgedehnt, so im April 1916 auf Fleisch, *von dem
eine Person wöchentlich 700 Gramm erhielt. Die Fleischnot führte in vielen
Fällen zum Genuss von Krähen, Hunden und Katzen. Das Pferdefleisch fand viele*

Verwaltung des Mangels: die »Kleider-Stelle« im Amberger Rathaus

Liebhaber und Kaninchen waren begehrte Tiere (Josef Dollacker). Ebenso rationiert wurden Dinge des täglichen Bedarfs. So gab es 1916 monatlich pro Person 100 Gramm Fein- und 500 Gramm Grobseife auf Karten. Schwierig wurde der Bezug von Kohlen, was den Hausbrand, die Industrie und insbesondere die Gasversorgung empfindlich traf (Josef Dollacker). Kriegsproduktion herrschte in der Gewehrfabrik mit ständiger Erweiterung der Erzeugung und in der Luitpoldhütte, wo unter Einsatz von Kriegsgefangenen Pressstahlmunition für Geschütze und Geschosse für Minenwerfer gefertigt wurden. Die Baumannfabrik erzeugte emaillierte Kochgeschirre und -apparate für das Heer sowie täglich 10 000 Handgranatenbecher.

1917 verschlechterte sich die Versorgungssituation nochmals drastisch. So lag der Wochensatz für Fleisch bei 125 Gramm, der Tagessatz an Kartoffeln ab Juni bei einem Viertel Pfund. Der Kommunalverband unter der Leitung von Dr. Max Josef Pollwein verfügte am 4. April 1917 über folgende Stellen: Altbekleidung, Brot und Mehl, Eier, Fleisch, Fett, Futtermittel,

Käse, Kartoffel, Kolonialwaren, Milch, Obst und Gemüse. Der Kohlemangel wurde immer deutlicher bemerkbar. Verboten wurden Lichtreklame und Beleuchtung von Schaufenstern. Im ersten Quartal des Jahres wurden Theater und Kinos geschlossen. Schon zu Jahresbeginn wurde mit der Beschlagnahme verschiedener Dinge begonnen; das Spektrum reichte von Zinndeckeln über Bronzeglocken bis zu Kupfer.

1918 wurden in den letzten Zügen des Krieges fleischlose Wochen eingeführt. *An Stelle des Fleisches wurden 250 gr. Brot abgegeben; am 9. September jedoch waren weder Brot noch Kartoffeln als Ersatz verfügbar, weshalb ¼ Pfund Gerstengrütze, ½ Pfund Gerstenkaffee, ½ Pfund Suppenwürfel gegeben wurden (Josef Dollacker).* Gleichzeitig war die Kriegsproduktion der Amberger Großbetriebe noch deutlich erweitert worden. So produzierte die Gewehrfabrik Teile für Maschinengewehre in großer Zahl, die Firma Baumann Kartuschenhüllen.

Neben die Sorge um die Ernährung trat in vielen Familien die Angst um die Männer, Väter und Brüder. Die Zahl der Todesanzeigen in den Zeitungen nahm ständig zu.

JOSEF FRIEDRICH SCHMIDT UND SEIN »MENSCH ÄRGERE DICH NICHT«

Der 1871 in Amberg geborene Josef Friedrich Schmidt entwickelte in einer kleinen Werkstatt in der Münchener Lilienstraße für seine drei Söhne ein Spiel, das er »Mensch ärgere Dich nicht« nannte. Er griff dabei auf Vorbilder aus dem 19. Jh. zurück. Schmidt »vereinfachte die Regeln und reduzierte das Spiel auf den schlichten Lauf um das Kreuz des Spielplans und das (möglichst häufige) Schlagen der Figuren« (Helmut Schwarz). Schmidt, der 1916 die »Spielefabrik J. F. Schmidt« gründete, schenkte während des Ersten Weltkriegs 3000 seiner Spiele an Armee und Lazarette. Seine Werbestrategie ging auf: Unmittelbar nach Kriegsende setzte der Siegeszug seines Spiels ein; 1920 wurde eine Million »Mensch ärgere Dich nicht«-Spiele verkauft. Schmidt starb 1948 in München.

BIOGRAFIE /////////////

Verwerfungen: Amberg in der ersten Hälfte des 20. Jahrhunderts

Die Revolution von 1918/19

Auf der Titelseite der »Amberger Volkszeitung« vom 8. November 1918 schließt sich einem Aufruf des bayerischen Innenministeriums, *Ruhe und Ordnung zu wahren*, eine *im Augenblick noch nicht recht verständliche Nachricht an, die [...] wir unter Vorbehalt wieder[geben]: In München haben die Aufständischen eine »Republik Bayern« erklärt und einen »Soldaten-, Arbeiter- und Bauernrat« gebildet, dessen Vorsitzender Kurt Eisner ist. Bayern wird von diesem als Freistaat erklärt. Für »Aufrechterhaltung von Ruhe und Ordnung« sind »Vorschriften« erlassen. Landtag, Kriegsministerium und sonstige öffentliche Behörden sind von den Aufständischen besetzt.*

Am gleichen Tag konstituierte sich in Amberg ein »Ausschuß für Freiheit und Recht«, der aus dem »Kartell christlicher Gewerkschaften« unter seinem Vorstand Gustav Unger, dem »Sozialen Ausschuß Amberg«, vertreten durch Jakob Mattes, sowie der Sozialdemokratischen Partei unter ihrem Vorsitzenden Gottlieb Stark bestand. Am nächsten Tag erschien in der »Amberger Volkszeitung« ein Aufruf dieses Ausschusses, mit dem er darüber informierte, dass er zusammen mit den hiesigen Zivil- und Militärbehörden die Verantwortung übernommen habe. Gleichzeitig wies er auf bereits stattgefundene Verhandlungen mit den Militärbehörden hin und rief dazu auf, Ruhe zu bewahren, um nicht das gesamte Wirtschaftsleben und die Lebensmittelversorgung zu gefährden. Damit lag die Revolution in Amberg in der Hand bürgerlicher Kreise. In einem zweiten Aufruf wandte sich der »Ausschuß« an die Bauern von Amberg und Umgebung, die Lebensmittelversorgung zu sichern und ihrer Ablieferungspflicht nachzukommen. Zur Aufrechterhaltung von Ruhe und Ordnung appellierte daneben der Stadtmagistrat, vertreten durch Rechtsrat Dr. Max Josef Pollwein, an die Bevölkerung.

Unter dem Abdruck der Aufrufe informierte die »Volkszeitung« ihre Leser über die Vorgänge in München, wobei das Ende der Monarchie nur mit dem lapidaren Satz *Die Dynastie Wittelsbach ist abgesetzt* Erwähnung findet; erst in seiner Ausgabe vom 11. November berichtete das Blatt ausführlich darüber.

An diesem denkwürdigen 9. November 1918, an dem Kaiser Wilhelm II. abdankte, erfolgte in Amberg die Bildung eines provisorischen Arbeiter- und Soldatenrats, der – wie Rechtsrat Dr. Pollwein bekannt gab – *seine Geschäftsstelle im Rathause […] hat* (»Amberger Tagblatt«). Am Nachmittag des 10. November kam es zu einer *Volksversammlung, dabei staute sich vor dem Wingershofertor eine gewaltige Menge von Arbeitern, Bürgern und Soldaten. Auch die Frauen waren zahlreich erschienen. Der am Samstag gebildete Arbeiter- und Soldatenrat hatte zum erstenmal die Massen aufgeboten um ihnen nochmals den Zusammenbruch des alten Regierungssystems und den Anbruch der neuen demokratischen Regierungsära zu schildern* (»Amberger Tagblatt«).

Die Ermordung Kurt Eisners am 21. Februar 1919 markiert den Beginn der zweiten Phase der Revolution in Bayern. In Amberg fand das Ereignis in einer Kundgebung seinen Niederschlag, die am 26. Februar in Gegenwart von Vertretern der Mehrheitssozialdemokraten (MSPD), der Unabhängigen Sozialdemokraten (USPD) und zahlreicher Soldaten vor dem Wingershofer Tor stattfand. Anschließend bewegte sich ein Demonstrationszug mit Plakaten und roten Fahnen über den Malteserplatz durch die Georgenstraße zum Nabburger Tor. Ansonsten blieb es weitgehend ruhig.

Erneut formierte sich ein Demonstrationszug vor Ort, nachdem am 7. April 1919 in München die »Bayerische Räterepublik« ausgerufen worden war, mit der die dritte Phase der Revolution begann. In Amberg marschierten die Beschäftigten, die die Arbeit niedergelegt hatten, zum Rathaus, wo sie auf dem Altan die rote Fahne hissten. Danach kam es zur Besetzung *aller Behörden, Banken, Zeitungen durch »Räte«* (Josef Dollacker). Am 10. April *demonstrierten die ordnungsliebenden Elemente Ambergs auf der Straße. Auf dem Marktplatz verlangten sie, dass der im Rathaus sitzende Arbeiter-Rat und Soldaten-Rat entfernt werde.* Die Menge zerstreute sich, nachdem Soldatenrat Ludwig Reis mit einigen Soldaten das Rathaus besetzt hatte. *Er ließ vom Balkon aus mit einem Maschinen-*

gewehr einige Schreckschüsse in die Luft abgeben (Josef Dollacker). Der Soldatenrat, der sich für die Räterepublik ausgesprochen hatte, *fiel nun wieder um* und verfügte die Rückkehr der von den Räten abgesetzten Beamten und die Wiederaufnahme der Geschäfte durch die beiden Gemeindekollegien. Endgültig wieder eingesetzt wurden diese, nachdem sich der Arbeiterrat *unter dem Druck der Verhältnisse und um jeden Aufruhr zu vermeiden* (»Amberger Volkszeitung«) dafür ausgesprochen hatte, die Verhältnisse vor dem 7. April wiederherzustellen.

In der Weimarer Republik

Katastrophale Wirtschaftslage und Wohnungsnot
Den Ersten Weltkrieg beendete formal der Friedensvertrag von Versailles vom 28. Juni 1919, der am 10. Januar 1920 in Kraft trat. Als besonders hart galt in dem von Vertretern aller deutschen Parteien als »Schmachfrieden« bezeichneten Vertrag der Artikel 231, in dem es heißt, Deutschland habe den Alliierten den Krieg *aufgezwungen* und sei deshalb für *alle Verluste und Schäden* verantwortlich. Die astronomischen Reparationsforderungen der Siegermächte – es handelte sich um einen Betrag von 132 Mrd. Goldmark, umgerechnet etwa 300 Mrd. Euro – ließen die deutsche Regierung in der Folge sogar die Hyperinflation von 1923 in Kauf nehmen.

Die Inflation war bereits 1921 spürbar. *Im Juni 1922 fiel die Papiermark auf 1,26 und stieg im Juli wieder auf 9,5 Goldpfennige. Infolgedessen mußten wiederholt Banknoten in höheren Werten ausgegeben werden. Im August herrschte Mangel an Kleingeld, das gehamstert wurde, weshalb die Stadt und die Luitpoldhütte Notgeld herausgaben* (Josef Dollacker). Das städtische Notgeld, 200 000 Stück 25-Pfennig-Münzen aus Meißener Porzellan, zeigte anlässlich der 500. Wiederkehr der Grundsteinlegung des heutigen Kirchenbaus der Martinskirche deren Turm.

Mit der Geldentwertung ging der Anstieg der Arbeitslosigkeit einher. So entließ die Baumannfabrik am 3. Februar 1922 wegen Kohlenmangels 1000 Arbeiter. Parallel dazu kam es wegen der desaströsen Versorgungslage wiederholt zu Streiks, so in der Luitpoldhütte vom 19. August bis 14. September 1922.

AMBERGER NOTGELD

Im August 1923 begann der Amberger Stadtrat mit der Herausgabe von Notgeld. Am 16. August erschien eine 500 000-Mark-Note, am 25. August war es schon ein 5-Millionen-Mark-Schein. Die 100-Millionen-Scheine vom Oktober 1923 zierten die Amberger Stadttore, die 10-Milliarden-Noten vom 20. und die 20-Milliarden-Scheine vom 20. bzw. 25. Oktober 1923 das Amberger Rathaus. Bei den Billionen-Scheinen vom November 1923 verzichtete man auf bildliche Darstellungen.

Die Knappheit der Lebensmittel führte zu gewaltigen Verteuerungen. Die Aufnahme des Ruhrkampfs verschärfte die schwierige Situation; durch die Organisation des passiven Widerstandes blieben vor allem die dringend benötigten Lieferungen an Kohle und Koks sowie an Eisen und Stahl aus, was wiederum zur Drosselung der Produktion führte. Im August 1923 musste der passive Widerstand wegen der *Erschöpfung der Geldmittel* und [...] *der Entwertung des Geldes* aufgegeben werden.

Hochinflation: einseitig bedruckter 20-Milliarden-Mark-Schein mit dem Amberger Rathaus und der Unterschrift des Ersten Bürgermeisters Dr. Eduard Klug

Eine Antwort auf die Krise war die Bildung »Vaterländi-
scher Verbände«, die am 18. Januar 1923 eine »Vereinigung
der vaterländischen Verbände Ambergs« bildeten, der auch die
NSDAP angehörte. Sie war im Februar 1921 erstmals in Amberg
aufgetaucht, als Hermann Esser, einer der frühesten Gefolgs-
leute Hitlers, im Rahmen eines »Propagandafeldzugs« sprach.
Die Gründung einer Ortsgruppe der Partei in Amberg lässt sich
nicht genau datieren, sie muss aber zwischen dem 1. Oktober
und dem 15. November 1922 vor sich gegangen sein. Sie war
für die Partei von großer Bedeutung, unterstützte sie doch von
Amberg aus die Gründung von Ortsgruppen in Regensburg
und Sulzbach massiv.

Im März 1923 lässt sich eine gesteigerte Tätigkeit extremer Parteien und Gruppierungen nachweisen. Am 15. März griffen die
Kommunisten in Amberg eine in der Bierhalle stattgefundene Versammlung der
Nationalsozialisten an. Schutz- und Landespolizei konnten die schwere Drohun-
gen ausstoßende Menge nicht zerstreuen, sodaß das Reichswehrbataillon eingreifen mußte (Josef Dollacker).

Der Hitler-Putsch

Über die Ereignisse der Nacht vom 8. auf den 9. November
1923 in München erfuhren die Amberger bereits aus der »Amberger Volkszeitung« vom 9. November, wo man telegrafisch
in der Redaktion eingegangene Nachrichten unter der Über-
schrift »Ludendorff-Hitlerputsch in München« noch ins Blatt
aufnehmen konnte.

Amberg, erst Sitz der 33. Hundertschaft, dann des Bataillonskommandos
des 2. Bataillons des Regiments »Oberpfalz« der SA der NSDAP, war auch eine
Rolle am 9. November 1923 zugeteilt. In der Reichskonferenz Ende Oktober
1923 hatte ich [Ludwig Stüdlein, Ortsgruppenführer der NSDAP] noch eine
Aussprache mit Adolf Hitler und Pg. Göring über Organisations- und Einsatz-
fragen der Oberpfalz. Nachdem die Mannschaft im Oktober und
November mit Infanteriegewehren, Karabinern und Pistolen ausgerüstet
worden war und einige Minenwerfer mit Munition und eine große Menge
Handgranaten zur Verfügung standen, kam es am 6. November
zu einer Bataillons-Führerbesprechung beim Regimentskom-
mando Regensburg, bei der die Mobilmachung festgelegt
wurde. Auf der Rückfahrt nach Amberg erlitt Stüdlein einen

Motorradunfall, bei dem er sich einige Rippenbrüche zuzog, weshalb er *am 9. November 1923, 5 Uhr früh, [...] von einem Aufgebot der Landespolizei auf Veranlassung des Reichswehrkommandos vollständig ahnungslos aus dem Krankenbett heraus verhaftet, in die Fronfeste eingeliefert und in eine Einzelzelle verbracht [wurde].* Trotz der Festnahme Stüdleins wurde *das Bataillon befehlsgemäß mobil gemacht und in Marsch gesetzt. Die 33. Hundertschaft sammelte sich im »Frühlingsgarten« bei Kümmersbruck,* wo ihre Festnahme erfolgte.

Nach dem fehlgeschlagenen Putsch und dem Verbot der NSDAP tauchte eine ganze Reihe von Hitler-Anhängern im »Völkischen Block« unter. Nach der Entlassung Hitlers aus der Festungshaft in Landsberg gründete er die Partei neu. In Amberg kam es am 9. März 1925 durch NSDAP-Anhänger und Angehörige völkischer Verbände zur Neugründung einer Ortsgruppe, Ende des Jahres folgte die einer SA, wobei sämtliche Amberger NSDAP-Mitglieder automatisch in die SA überführt wurden.

Von der Konsolidierung zur Wirtschaftskrise

Obwohl die Jahre zwischen 1924 und 1929 als Zeit relativer Konsolidierung gelten können – genannt sei etwa die Einführung der Reichsmark oder die allmähliche Exportsteigerung der deutschen Wirtschaft –, stiegen die Reallöhne nur gering und ein großer Kapitalbedarf blieb bestehen. In Amberg waren diese Jahre durch Wohnungsnot und Arbeitslosigkeit gekennzeichnet. Erstere versuchte man bereits durch den Bau von Siedlungen in den Griff zu bekommen. Um die Zahl der Erwerbslosen zu senken, griff die Stadt zu Eigenmaßnahmen wie der Vilsregulierung.

Noch dramatischer als die Hyperinflation der 1920er-Jahre wirkte sich die 1929 einsetzende Weltwirtschaftskrise aus, die hohe Arbeitslosigkeit und soziales Elend verursachte. So lag etwa die Luitpoldhütte von Mitte 1931 bis 1932 vollkommen still, die Zahl der Beschäftigten bei Baumann sank von 2000 im Jahr 1927 auf rund 500 im Jahr 1934. Die Zahl der Arbeitslosen im Stadtgebiet Amberg bewegte sich 1930 zwischen 1463 und 3252. Hinzu kam das Fehlen von Wohnraum, dem verschiedene Siedlungswerke zu begegnen trachteten.

»GRAF ZEPPELIN ÜBER AMBERG«

Die »Amberger Volkszeitung« informierte am 2. Oktober 1929 ihre Leser über ein Ereignis, das von der Bevölkerung mit großer Freude aufgenommen worden war: das Überfliegen der Stadt durch den »Zeppelin«. Bei dem Luftfahrzeug, das über Amberg zu sehen sein sollte, handelte es sich um *LZ 127 Graf Zeppelin*, das als erstes und bis dahin einziges Luftschiff die Erde umflogen hatte. Die Stadt hatte *im Laufe des Vormittags schleunigst Flaggenschmuck angelegt,* die Sirenen der Feuerwehr und verschiedener Betriebe standen zur Begrüßung bereit. *Kurz nach 12 Uhr mittag war es, als sich ein gewaltiges Surren der Motoren hören ließ. Aha! Jetzt kommt er! Um 12 Uhr 5 Minuten kam der »Graf« hinter dem Mariahilfberge hervor [...] Glockengeläut von allen Kirchen begrüßte »Graf Zeppelin« bei seinem Fluge über Amberg [...] Dann schien es, als ob das Luftschiff einige Augenblicke stillstände, um sich durch die Sirenen und das Glockengeläute bewillkommnen zu lassen. In Wirklichkeit hatte es gegen den Westwind anzukämpfen, der es etwas seitwärts drückte [...] In langsamer, ungefähr 10 Minuten dauernder Fahrt überflog dann das Luftschiff den südlichen Teil unserer Stadt, den Nabburgertorplatz, die Schlachthofstraße und nahm Kurs aufs Vilstal. Ein* Amberger, der gerade das Licht der Welt erblickte, erhielt sogar den Namen »Zeppelin«.

Amberg in der NS-Zeit

Machtergreifung

Aus Anlass der Ernennung Hitlers zum Reichskanzler veranstalteten seine Anhänger in Amberg wie andernorts am Abend des 30. Januar 1933 einen Fackelzug, der mit einer Kundgebung auf dem Marktplatz endete. Um den Beginn einer »neuen Zeit« äußerlich sichtbar zu machen, hissten Dr. Artur Kolb, NSDAP-Kreisleiter, und Dr. Karl Zeller, Führer der in Amberg stationierten SA-Standarte 6, am 9. März auf dem Rathaus die Hakenkreuzfahne und *die alte schwarz-weiß-rote Reichsflagge.* Zwei Tage später wurden Angehörige der KPD und des »Reichsbanners Schwarz-Rot-Gold« in »Schutzhaft« genommen.

DIE WAGRAINSIEDLUNG

Vor dem Hintergrund des Fehlens von Wohnungen besonders für kinderreiche Familien, deren Ernährer zudem häufig noch von Arbeitslosigkeit betroffen waren, regte die Ortsgruppe Amberg des »Bundes der Kinderreichen« den Bau einer städtischen Kleinsiedlung an der Bayreuther Straße an. Baubeginn war der 27. Mai 1932. Die Siedler bauten die Häuser als Gemeinschaftsleistung und losten sie erst kurz vor Fertigstellung ihren zukünftigen Bewohnern zu. In verschiedenen Bauabschnitten entstanden die ersten Siedlerhäuser, die wegen ihrer geringen Größe als Doppelhäuser ausgeführt wurden. Relativ große Grundstücke ermöglichten den Siedlerfamilien den Anbau von Obst und Gemüse sowie die Kleintierzucht.

Die offizielle Einweihung der Siedlung am 23. August 1934 war Teil des Jubiläumsprogramms der 900-Jahr-Feier der ersten schriftlichen Nennung Ambergs. Zu diesem Zeitpunkt bewohnten 64 Familien mit insgesamt 317 Kindern die Siedlung. »Am Wagrain« bezeichnete nicht nur die hufeisenförmige Straße, an der die ersten Häuser gebaut worden waren, sondern die Siedlung insgesamt.

Weitere Häuser entstanden im Rahmen von verschiedenen Programmen bis zum Ausbruch des Zweiten Weltkriegs vor allem im Bereich der heutigen Dr.-Klug-, Dollacker- und Schinhammerstraße. Nach dem Krieg wuchs die Siedlung weiter. Die Wohnungsnot nach 1945 trug dazu bei, dass sich die Bergleute der Luitpoldhütte 1949 als Nachbarn zu den Wagrainern gesellten. 1955 ist der Birkenhain unmittelbarer Angrenzer geworden. Die Heimkehrer haben sich Am Kugelfang ansässig gemacht, wo auch Lehrer und Eisenbahner Fuß fassten.

Die »Machtübernahme« im Amberger Rathaus vollzog sich am 22. März. Dabei »beurlaubte« SA-Standartenführer Zeller, der am selben Tag zum »Sonderkommissar für Amberg« ernannt worden war, Oberbürgermeister Dr. Eduard Klug und Bürgermeister Dr. Sebastian Regler, die beide der Bayerischen Volkspartei (BVP) angehörten. Der städtische Oberinspektor Otto Saugel wurde als kommissarischer Erster Bürgermeister eingesetzt. Regler konnte, nachdem er Mitglied

Kindergruppe »Der Rattenfänger von Hameln« auf ihrem Weg durch die Georgenstraße zum Jubiläumsfestzug am 12. August 1934

der NSDAP geworden war, sein Amt am 24. März wieder übernehmen.

Nach dem »Vorläufigen Gesetz zur Gleichschaltung der Länder mit dem Reich« vom 31. März 1933 war eine Umbildung der Länder- und der Kommunalparlamente nach den Ergebnissen der Reichstagswahl vom 5. März vorzunehmen, in Amberg erfolgte diese am 22. April. Demzufolge verfügte die BVP jetzt über neun (statt der bei der Wahl von 1929 erzielten 14) Sitze, die NSDAP über sechs (statt zwei), die SPD über vier Sitze (statt neun) und die »Kampffront-Schwarz-Weiß-Rot« über einen Sitz. Damit hatten die Nationalsozialisten aber immer noch keine Mehrheit in dem umgebildeten Stadtrat, der am 26. April 1933 zu seiner ersten Sitzung zusammenkam. Dabei erging der von den BVP-Stadträten mitgetragene Beschluss, die SPD-Stadträte von der Teilnahme an allen Ausschüssen auszuschließen, welchen die SPD-Fraktion bei der Regierung anfocht.

Die Auflösung der freien Gewerkschaften unmittelbar nach den Feiern zum 1. Mai setzte sich mit der der Parteien fort. Am 22. Juni erklärte Reichsinnenminister Wilhelm Frick

FESTSPIEL »AMBERGER BLUT«

Anlässlich der 900. Wiederkehr der ersten schriftlichen Nennung Ambergs im Jahr 1934 ließ Oberbürgermeister Josef Filbig ein Festspiel aufführen. Als Autor gewann er den Straubinger Heimatdichter und NSDAP-Funktionär Eugen Hubrich, der dafür den »Amberger Aufruhr« von 1453/54 sowie die Fürstenhochzeit von 1474 thematisierte und dem Stück den Titel »Amberger Blut« gab. Er verstand es ganz im Geist des Nationalsozialismus als örtliches Sinnbild der deutschen Erneuerung.

Da die Aufführungen im August 1934, zu denen viel Prominenz nach Amberg kam, beim Publikum sehr gut ankamen, beschloss der Stadtrat Ende des Jahres, das Festspiel jährlich aufzuführen. Die damit begründete Tradition endete mit dem Ausbruch des Zweiten Weltkriegs.

1950 lehnte der Stadtrat den Antrag Josef Filbigs auf eine Wiederaufführung des »Amberger Bluts« ab, den dieser in seiner Eigenschaft als Präsident der 1934 von ihm initiierten Amberger Faschingsgesellschaft »Narrhalla« gestellt hatte. Doch schon im Juli 1953 wurde sie Wirklichkeit, nachdem Filbig 1952 wieder zum Oberbürgermeister der Stadt Amberg gewählt worden war. Noch im gleichen Jahr arbeitete Hubrich seinen Text um.

Als am 14. August 1954 zur Begrüßung von Bundespräsident Theodor Heuss in der Stadt das gesamte Ensemble des »Amberger Bluts« im Kostüm auf dem Marktplatz erschien, waren das letzte Mal Teile des Stücks in der Öffentlichkeit zu sehen.

Nachdem im Jahr 2000 der von dem Künstler Engelbert Süß geschaffene »Hochzeitsbrunnen« auf dem Marktplatz aufgestellt worden war, begründete der hiesige »Verein für erlebte Geschichte ›Cantus Ferrum‹« ein Jahr später eine neue Tradition: Alle zwei Jahre veranstaltet er das »Amberger Brunnenfest«, unter anderem mit einem Festzug des Brautpaares der »Amberger Hochzeit« durch die Straßen der Stadt.

die SPD zur *staats- und volksfeindlichen Partei*; die Amberger SPD-Stadtratsfraktion sowie weitere 33 Parteimitglieder kamen am 30. Juni 1933 in »Schutzhaft«. Schon am 26. Juni hatten die BVP-Stadträte auf ihr Mandat in dem Gremium verzichtet,

Uraufführung des Festspiels »Amberger Blut« am 12. August 1934:
Die Darsteller von Pfalzgraf Philipp und Margarete von Bayern-Landshut
betreten die Bühne

nachdem sie ihrerseits in »Schutzhaft« genommen worden
waren. In der Stadtratssitzung vom 1. Juli besetzte man die 13
»frei gewordenen« Sitze (neun der BVP und vier der SPD) mit
NSDAP-Mitgliedern. Der nur noch aus *Ratsherrn* der NSDAP be-
stehende Stadtrat wählte am 3. August 1933 Studienrat Josef
Filbig, seit 1931 Ortsgruppenleiter der NSDAP in Amberg, zum
Oberbürgermeister. Das Innenministerium bestätigte seine
Wahl am 19. Oktober und versetzte Klug in den Ruhestand.

Rasch kam es zur Bildung von Gliederungen der Partei, wie
der Nationalsozialistischen Frauenschaft und der Hitlerjugend
mit ihren Untergruppierungen, sowie der angeschlossenen
Verbände, z. B. der Nationalsozialistischen Volkswohlfahrt.

Maßnahmen gegen Juden
Von Anfang an war vor Ort der mit der nationalsozialistischen
Ideologie untrennbar verbundene rassische Antisemitismus
deutlich zu spüren. Drei Amberger Juden, Kaufmann Bloch,
Viehhändler Neuhöfer und Pferdehändler Kirschbaum, die Mitglieder der SPD waren, wurden bereits am 22. März 1933 verhaftet und in das Konzentrationslager Dachau verbracht. Wie im

gesamten Reichsgebiet brachte der »Boykott-Tag« vom 1. April 1933 die erste öffentliche Diskriminierung mit sich. Die Boykott-bewegungen wurden in Amberg energisch durchgeführt. Einzelne jüdische Geschäfte waren an und für sich geschlossen, die Mehrzahl hatte zunächst geöffnet. Obwohl um 10 Uhr [...], wie überall in Deutschland, Nationalsozialisten [erschienen], welche die Käufer durch Plakate vor dem Besuche warnten und über die Gründe des Boykotts aufklärten (»Amberger Volkszeitung«), ließ sich die Amberger Bevölkerung nicht vom Kauf abhalten.

Den Höhepunkt in der öffentlichen Wahrnehmung erreichte das Vorgehen gegen die Juden in der Reichspogromnacht vom 9. auf den 10. November 1938, in Amberg inszeniert von Kreisleiter Dr. Artur Kolb und durchgeführt von der SA. Mit Rücksicht auf die enge Bebauung lehnten die für den Sprengstoff verantwortlichen SA-Männer die vom Kreisleiter verlangte Sprengung der Synagoge bzw. deren Inbrandsetzung ab. Die SA zerstörte ihr Inneres und verbrannte Mobiliar, rituelle Gewänder sowie religiöse Bücher auf der Straße davor. Gleichzeitig erfolgte die Festnahme der Juden mit Ausnahme von Klara Lorsch und der Eheleute Karl und Fanny Haymann. Die Frauen blieben bis zu ihrer Freilassung um 22.00 Uhr des Folgetags im Rathaus in Haft, die Männer, mit Ausnahme des Oberlehrers Godlevsky und Herrn Ißner, [kamen] noch im Laufe des Nachmittags auf den Transport nach Dachau (Klara Lorsch); die beiden zuletzt genannten mussten drei Wochen in der Amberger Fronfeste ausharren. Den gewaltsamen Ausschreitungen folgte die rasche »Arisierung« jüdischen Eigentums an Grund und Boden. Viele Juden suchten ihr Heil im Verlassen der Heimat; als 1942 die großen Deportationen begannen, lebten noch zwölf Juden in Amberg. Viele derjenigen, die in verschiedene Großstädte geflohen waren, entgingen aber auch dort der Deportation in die Konzentrationslager nicht.

Luftangriffe und Kriegsende

Der Besetzung der Stadt Amberg durch amerikanische Bodentruppen gingen Luftangriffe voraus, die seit Anfang April 1945 an Stärke zunahmen. Der erste Angriff erfolgte am 8. April, Ziele waren das Heeresnebenzeugamt und die Leopoldkaserne. Wesentlich schwerwiegender als der erste Angriff sollte jedoch der zweite werden: Am 9. April wurde gegen 09.00 Uhr Fliegeralarm gegeben. Wenig später erreichte die erste von insgesamt drei Wellen die Stadt. Die Bomben pflügten das in 13 Bezirke unterteilte Gelände des Heeresnebenzeugamtes regelrecht um.

Während dieses Bombardements ordnete die Luftschutzbefehlsstelle, die im Amtsgericht untergebracht war, den Einsatz von zwei Löschtrupps der Luftschutzwacht an. Zwei Löschfahrzeuge rückten aus, die beide in die dritte Angriffswelle gerieten. Eines der Fahrzeuge hielt am Bergsteig an. Zugführer Giehrl *nahm mit seiner Mannschaft Deckung in einem Laufgraben, der unmittelbar an der Straße entlang führte und circa 2 m tief war* (Hans Schneider). Die Mannschaft überlebte, das Fahrzeug wurde nicht beschädigt.

Dieser Angriff galt dem Stabsgebäude der Leopoldkaserne, der Leopoldstraße und einigen tiefer liegenden Äckern. Als die Bomben fielen, erreichte das zweite Löschfahrzeug unter Zugführer Pielenhofer gerade das Kasernengelände. *Die Mannschaft nahm Deckung an der Böschung bei der ehemaligen Trafostation [...] Die sieben HJ-Jungfeuerwehrkameraden der Besatzung warf der Luftdruck der Bomben circa 30 m nahezu bis an den Zaun der Gärtnerei Merz und schüttete sie noch einen halben Meter hoch mit Erde zu. [...] Der Führer des Geräts [= also des Löschzugs], der Hauptwachtmeister der Feuerwehr, Johann Pielenhofer, [...] wurde von dem Luftdruck der Bomben circa 50 m weit auf den Bahnkörper geschleudert [...] – er war sofort tot* (Hans Schneider).

Bordwaffenbeschuss war am 10. April auf den nördlichen Teil Ambergs in der Nähe des Güterbahnhofs sowie am 11. April im Bereich der Innenstadt zu verzeichnen. Am Nachmittag des selben Tages erfolgte ein weiterer Luftangriff; bombardiert wurden der nordwestliche Teil des Hochofens, die Gegend der Regensburger Straße und das Heereszeugamt. Aufgrund der Bedrohung verließ ein Teil der Bevölkerung die Stadt und suchte im Köferinger Wald Schutz.

Bis heute nicht ganz geklärt sind die Vorgänge, die sich im Zusammenhang mit der Übergabe der Stadt an amerikanische Truppen abspielten. Fest steht, dass der NSDAP-Kreisleiter Dr. Kolb die rücksichtslose Verteidigung der Stadt einforderte. Dies ließ sich jedoch durch den Abzug der Wehrmacht, die sich noch in Amberg befunden hatte, durch Oberst Ludwig Chorbacher nach Luigendorf praktisch nicht mehr realisieren. Ein angekündigtes SS-Kommando kam ebenfalls nicht mehr in

Amberg an. Beim Nahen der amerikanischen Truppen fuhr Kolb diesen entgegen und fand dabei den Tod. Damit war der Weg zur kampflosen Übergabe frei geworden. Unterstützung fand sie durch eine kleine Nichtverteidigungs-Gruppe, der es immerhin gelang, aus dem Turm der Dreifaltigkeitskirche eine weithin sichtbare weiße Fahne zu hängen.

Als es am Abend des 22. April 1945 vom Turm der Martinskirche 09.00 Uhr schlug, kamen die ersten amerikanischen Panzer auf dem Marktplatz an. Am Morgen des 23. April übergab Bürgermeister Sebastian Regler im Rathaus offiziell die Stadt. Damit korrespondierte ein Aufruf an die Bevölkerung, den Regler ebenfalls zu unterzeichnen hatte. Dieser informierte die Bevölkerung bezüglich der Übergabe der Stadt und forderte sie auf, an den Häusern weiße Fahnen zu hissen, Waffen, Ferngläser und Fotoapparate im Rathaus abzuliefern und sich jeglichen Widerstands gegen die US-Truppen zu enthalten. Gleichzeitig wurden die Ausgehzeiten eingeschränkt – morgens von 7 bis 9 Uhr und nachmittags von 14 bis 16 Uhr. Damit war für Amberg der Zweite Weltkrieg beendet.

Neuanfang nach 1945:
Amberg in der Bundesrepublik

Politischer Neuanfang

Die amerikanische Militärregierung ernannte Christian Endemann zum kommissarischen Oberbürgermeister der Stadt Amberg. Er war von 1919 bis 1933 Geschäftsführer des »Deutschen Metallarbeiter-Verbands (DMV)« in Amberg, von 1924 bis 1932 für die SPD Abgeordneter im Bayerischen Landtag sowie von 1929 bis 1933 Mitglied des Amberger Stadtrats. Während der NS-Zeit war Endemann wiederholt in verschiedenen Gefängnissen und in den Konzentrationslagern Dachau und Flossenbürg in Haft gewesen.

Im »Goldenen Buch der Stadt« ergänzte er am 10. August 1945 seine Eintragungen vom 15. Mai über das Ende der NS-Zeit und die Übergabe der Stadt: *Der Wiederaufbau hat begonnen. Militarismus und Nazismus haben den Krieg gewollt und verloren – Wir Amberger werden mit zähem Willen für unsere Zukunft schauen und schaffen.*

Die erste Gemeindewahl nach dem Krieg fand am 26. Mai 1946 statt. Daran beteiligten sich 14 504 Wähler, 4404 Männer und 10 100 Frauen; dies entspricht einer Wahlbeteiligung von 88,6 %. Die Zahl der gültigen Stimmen betrug 14 167, die der ungültigen 337. Der für heutige Verhältnisse sehr kleine Wahlzettel gab dem Wähler nur die Möglichkeit, einem von drei Wahlvorschlägen zuzustimmen: Auf die Sozialdemokratische Partei entfielen 4256 Stimmen (dies entsprach neun Sitzen), auf die Kommunistische Partei 682 Stimmen (ein Sitz) und auf die im Sommer 1945 gegründete Christlich Soziale Union 9229 Stimmen (21 Sitze), die damit die absolute Mehrheit im Amberger Rathaus erreichte.

Am 7. Juni fand in der konstituierenden Sitzung des Stadtrats die Wahl des Oberbürgermeisters statt. Nachdem Endemann nicht mehr kandidierte – er fungierte von 1946 bis 1948 als hauptamtlicher Zweiter Bürgermeister –, wurde der von den Nationalsozialisten abgesetzte Oberbürgermeister Dr. Eduard Klug einstimmig gewählt. Nach dessen Tod wurde Michael Lotter (CSU) am 24. September 1946 zum Oberbürgermeister gewählt.

Integration von Flüchtlingen und Vertriebenen

Tausende Flüchtlinge waren in zwei Wellen nach Bayern gekommen. Die erste setzte bereits während der letzten Kriegsmonate ein, die zweite im Januar 1946; hierbei handelte es sich vor allem um die aus dem Sudetenland Ausgewiesenen. Erste Anlaufstelle waren vielfach Flüchtlingslager. Deren früheste Aufstellung stammt vom 25. November 1945 und dokumentiert 42 Lager, zu denen neben Gasthäusern Stadtmauertürme und Stadttore zählten.

Über die dramatische Wohnraumsituation in Amberg schrieb Christian Endemann: *Die Stadt Amberg hat zu viele Einwohner. Bei einer Zählung am 31. Oktober 1945 ergab sich, daß die Stadt 43 364 Einwohner hat, davon 11 309 Flüchtlinge und Evakuierte [...] Daneben leben in den Lagern der UNRRA über 5000 Personen, dazu kommen amerikanische Soldaten und ca. 1300–1400 verwundete deutsche Soldaten.*

Große Bedeutung bei der Integration der Flüchtlinge kam dem Flüchtlingskommissar Hans Pfab zu. Auf Anweisung des Staatskommissars für das Flüchtlingswesen ging man in Amberg daran, einen Flüchtlingsausschuss ins Leben zu rufen, der sich jedoch erst im Dezember 1947 konstituierte.

Wohnungsbau

Neben der Nahrungsversorgung galt das Hauptaugenmerk der Schaffung von Wohnraum und Arbeit.

Obwohl die größte Wohnungsnot der Nachkriegsjahre durch eine Vielzahl von Neubauten beseitigt worden war, suchten am 1. Juni 1959 immer noch 2743 Personen in Amberg eine Behausung. Deshalb beschloss der Stadtrat die Planung einer größeren zusammenhängenden Wohnsiedlung auf einem Ge-

BERGSTEIG

Aufgrund der großen Wohnungsnot, vor allem aber um die Kasernen zu räumen, in denen Vertriebene und Flüchtlinge untergebracht waren, entstand in den Jahren 1950 bis 1954 auf dem *Bombentrichtergelände des Heereszeugamtes* (Amberg, Stadtbuch 1956) der neue Stadtteil *Am Bergsteig*. Den Anstoß zur Besiedlung des Areals hatte der Bau der später so genannten Leopoldkaserne 1913/14 und der Flaschenhütte in den 1920er-Jahren gegeben, in deren Umfeld Wohnungen für die dort Beschäftigten gebaut worden waren. 1950 entstanden die ersten Holzbaracken mit 104 Wohneinheiten, 1951 weitere 27 und 1952 schließlich nochmals 276. In diesem Jahr lebten 3000 Menschen in dem neuen Viertel. 1953 folgte der Straßenausbau. In den Jahren 1967 bis 1977 errichteten verschiedene Baugesellschaften eine ganze Reihe von Wohnblocks, 1968 wurde der Abriss der Baracken eingeleitet. 1954 begann die Errichtung einer katholischen Kirche (»Heilige Familie«), die 1955 als Nebenkirche der Pfarrei Hl. Dreifaltigkeit die Weihe erhielt. 1970 erfolgte die Erhebung zur selbstständigen Pfarrei. Die Kirche fungiert gleichzeitig als Kuratiekirche der Katholischen Polnischen Mission.

1999 wurde Amberg mit dem Stadtteil »Am Bergsteig« in das vom Bund und den Ländern auf den Weg gebrachte Programm »Stadtteile mit besonderem Entwicklungsbedarf – die soziale Stadt« (kurz »Soziale Stadt«) aufgenommen; dabei handelt es sich um ein Stadterneuerungsprogramm, das im Falle des Bergsteigs auf erhebliche Abriss- und Modernisierungsmaßnahmen sowie auf die Umsetzung des städtebaulichen Wettbewerbsentwurfs zielt.

biet bei St. Sebastian im Süden der Stadt. Das »Demonstrativ-Bauprogramm« umfasste die Schaffung von rund 1000 Wohnungen, 274 Miet- und 322 Eigentumswohnungen sowie 396 Eigenheimen. Als Bauträger fungierten das »Wohnungsbau- und Siedlungswerk des katholischen Werkvolks Amberg«, das »Wohnungsunternehmen Amberg eGmbH« und zu einem kleinen Teil die »Iduna«, verbunden mit einem Einkaufszentrum.

Am 10. Januar 1963 genehmigte der Stadtrat den Bebauungsplan für das Demonstrativ-Bauvorhaben, am 27. März begannen die Erschließungsarbeiten. Am 19. Dezember 1963 konnte erstmals Richtfest im »D-Programm« gefeiert und am 15. Februar 1967 das erste Bauquartier abgeschlossen werden; das Amberger Wohnungsunternehmen hatte bis dahin 285 Wohneinheiten geschaffen. Mit einer kleinen Feierstunde eröffnete die Stadtsparkasse am 2. August 1967 eine Zweigstelle, wenige Wochen später feierte man für das Terrassen-Wohnhaus Richtfest.

1969 wurde die Albert-Schweitzer-Schule eröffnet. Am 5. Dezember 1976 konnte das Andreas-Hügel-Haus als evangelisches Gemeindezentrum mit Kirche, Gemeinderäumen und Pfarrhaus für den Pfarrsprengel »D-Programm«, Obere Hockermühle und Gailoh eingeweiht werden, am 27. September 1970 die katholische St. Michaelskirche. Am gleichen Tag wurde die bisherige Expositur mit den Ortsteilen Gailoh und Martinshöhe zur selbstständigen Pfarrei erhoben.

Aufgrund der starken Nachfrage wurden und werden seitens der Stadt Amberg immer wieder Baugebiete ausgewiesen wie etwa Katharinenhöhe (1983), »An der Kennedystraße« (1998), »An den Langäckern« (2001), »Malteserleite II« (2003), »Martinshöhe II« und »Am Postweiher« (beide 2006) »Birkenfeld« in Schäflohe (2010), die »Ehem. Housing-Area« (2011), »Kennedystraße Süd« (2013), »Krumbach Im Espan« (2012) und »Fuchsstein Südost« (2013).

Wirtschaftlicher Neuanfang

Neben der Herstellung von Wohnraum war die Schaffung von Arbeitsplätzen eines der drängendsten Probleme der Nachkriegsjahre. Mit staatlicher Hilfe entstand in Amberg mit der Glasverarbeitung eine typische Flüchtlings-Industrie. Zum Aufbau der »Bayerischen Grenzland Kunst und Industrie GmbH« wurden noch im Dezember 1945 Glasfacharbeiter aus Karlsbad, Haida und Steinschönau in Amberg zusammengeführt, wo mit einem Bau des ehemaligen Heeresnebenzeugamts ein Fabrikgebäude mit einer Nutzfläche von 12 000 qm zur Verfügung stand, in dem *Glasfabrikate für Schmuck und Zierwaren*, *besonders von Facharbeitern aus Flüchtlingskreisen, angefertigt werden [sollten]* (»Der neue Tag«).

Nach schwierigen Verhandlungen mit der Militärregierung wurde die Rohglasversorgung erreicht, Anfang Juli 1946 konnte schließlich ein Rohglasofen fertig gestellt werden, der von einer anderen Hütte gepachtet worden war. Nun begann der Kampf um die zum Betrieb benötigte Kohle.

Nach ihrer landsmannschaftlichen Zugehörigkeit produzierten die Facharbeiter aus Nordböhmen »Flaschen, Trinkgläser, Vasen, Lampen, Schalen und Kronleuchter«, ihre Kollegen aus dem Gablonzer Raum »Lüsterbehänge, Rauchgarnituren, Öl- und Essigflaschen, Knöpfe und Perlen«, die ehemaligen Beschäftigten der Firma Moser in Karlsbad »farbige Trinkgläser bzw. Kristallgläser« (Peter Wolf).

Die spätere Geschichte des Unternehmens war von verschiedenen Besitzerwechseln geprägt, die über die Zugehörigkeit der »Elisabeth-Hütte« zur Firma Hofbauer in Neustadt an der Waldnaab über das »Thomas-Glaswerk« der Rosenthal AG reichte, wobei Letztere 1992 mit den Nachtmann-Bleikristallwerken fusionierte. Heute gehört das Unternehmen der Kristall-Glasfabrik Amberg GmbH & Co. KG.

Ein weiteres Unternehmen, das sich nach dem Zweiten Weltkrieg in Amberg ansiedelte, war das Haus Siemens; 1948 wurde ein Gerätewerk gegründet. Bereits Ende des Jahres 1946 hatte der Planungsstab des Unternehmens die Arbeiten für die Halle sowie für die Wohnungen aufgenommen. Der zukünftige erste Werksleiter, Georg Hilbenz, kam im August 1947 nach Amberg. Herzstück des »Alten Werks« an der Schlachthausstraße war eine 3000 qm fassende Halle, in der neben der Produktion die wenigen Büros für die Angestellten untergebracht worden waren. In der Nähe des Werks konnten ebenerdige Holzhäuser aufgestellt werden. Im Mai 1950 begann der Bau eines neuen Werks, 1989 erfolgte die Gründung eines Siemens Elektronikwerks in Amberg. An diesem Standort produziert der Konzern unter anderem speicherprogrammierbare Steuerungen (SPS).

Neben den Neugründungen versuchte man schon länger bestehende Betriebe wiederzubeleben. Zu nennen ist dabei die

DER GROPIUSBAU DES THOMASGLASWERKS

Die *Amberger Glaskathedrale,* die am 9. Juni 1970 in Gegenwart von Bundesminister Georg Leber und dem Bayerischen Wirtschaftsminister Dr. Otto Schedl feierlich eröffnet wurde, ist die letzte Arbeit des weltberühmten Bauhaus-Architekten Walter Gropius, der die Vollendung seines Werks, bei dem ihm eine überzeugende Einheit von Form und Inhalt gelang, nicht mehr erlebte. Der Komplex gliederte sich in vier Trakte: das – um beim Bild der Kathedrale zu bleiben – »Mittelschiff« mit den Glasschmelzöfen und der Glasformgebung, ein östlicher Flachbau mit Betriebsbüros und Werksleitung, ein westlicher Flachbau mit Energieversorgung und Lager sowie ein Stirn-Flachbau mit Sozialräumen für die Belegschaft, die in Spitzenzeiten 440 Mitarbeiter zählte. Das »Mittelschiff« mit einer Breite von 27 und einer Höhe von 20 m und seinem *eigenwillig konstruierten Lamellendach* (»Amberger Zeitung«) ist das Herzstück der Anlage. Neben der Fabrik entstanden ebenfalls nach den Plänen von Walter Gropius zwei Gebäude mit Wohnungen für Werksangehörige.

Luitpoldhütte, die zuerst unter amerikanischer Verwaltung stand und deshalb nicht demontiert wurde. Nachdem es der »Bayerischen Berg-, Hütten und Salzwerke AG (BHS)« gelang, den Betrieb aus den »Reichswerken« zu lösen, war der Weg zur Neugründung einer »Luitpoldhütte AG« offen. Dabei hielt die bundeseigene »Salzgitter AG« 74 % der Aktien, der Freistaat Bayern die übrigen 26 %. Der sinkende Bedarf an Eisenprodukten wirkte sich verhängnisvoll für die Luitpoldhütte aus. Hinzu kam, dass das Amberger Eisenerz im Vergleich zur Billigkonkurrenz aus dem Ausland nicht mehr wirtschaftlich verhüttet werden konnte.

Von den größeren Betrieben ist neben der Luitpoldhütte die »Amberger Flaschenhütte« zu erwähnen, die 1926 vornehmlich auf Drängen der Stadt Amberg als Aktiengesellschaft gegründet worden war, wobei diese als Hauptaktionärin fungierte. Am 13. Mai 1946 gelang es, wieder eine Schmelzwanne in Betrieb zu nehmen. Obwohl das Unternehmen schon vor Beginn der Produktion aufgrund der starken Nachfrage der

ENDE DES AMBERGER BERGBAUS

Äußerlich sichtbar endete die Geschichte des Bergbaus am 6. Dezember 1964, als die Andachtsgegenstände der Bergknappen – Barbarabild, Kruzifix und Glocke der Bethalle – in feierlicher Prozession in die St. Barbara-Kirche auf der Luitpoldhöhe geleitet wurden, nachdem sich die Bergleute ein letztes Mal in der Bethalle versammelt hatten. Der Bergbau hatte aber schon am 19. Juni 1964 mit der letzten *gefahrenen* Schicht sein Ende gefunden. Bei der *allerletzten* Schicht am 19. November 1965 stiegen *zum letzten Mal elf Kumpel hinab, um Abschied zu nehmen von einer fast tausendjährigen Geschichte.* Danach *soffen* Stollen und Schächte *ab* (»Amberger Zeitung«). 1968 wurde der Hochofenbetrieb eingestellt. Damit gingen zwischen 1964 und 1968 1000 der vormals 2300 Arbeitsplätze verloren. Die Luitpoldhütte beschränkte sich in der Folgezeit auf die Handels- und Schleudergießerei. Obwohl die »Luitpoldhütte AG« für *namhafte Unternehmen in der ganzen Welt hochwertige Gussteile in Klein- und Mittelserien fertigt,* sah sich das Unternehmen aufgrund von Einbrüchen im Absatzmarkt Ende August 2015 gezwungen, Insolvenz anzumelden.

Frauen verladen die in der Amberger Flaschenhütte erzeugten Produkte auf Wägen der Deutschen Reichsbahn

amerikanischen Besatzungsmacht volle Auftragsbücher hatte, kam der Betrieb aufgrund fehlender Rohstoffe und Braunkohle erst ab 1947 wieder einigermaßen in Schwung. Eine sichtbare Anerkennung der Leistungsfähigkeit des Unternehmens bedeutete der Besuch von Bundespräsident Theodor Heuss am 14. August 1954. In den 1960er-Jahren folgte der Übergang an die »Gerresheimer Glashütte«, 1980 musste das Unternehmen Konkurs anmelden.

Ein neues »altes« Unternehmen ist eine Firma, deren Anfänge in das Jahr 1880 zurück reichen: Damals hatte Willibald Grammer in der Ziegelgasse eine Sattlerei eröffnet. 1954 gründete sein Enkel Georg einen Betrieb zur Fabrikation von Sitzkissen für Traktoren. 1970 fertigte das Unternehmen gefederte Fahrersitze, 1976 wurde die zukunftsweisende Technologie des Hinterschäumens für die Polsterherstellung entwickelt. Die 1989 gegründete »Grammer AG«, die seit 1990 ICE-Passagiersitze herstellt und im Jahr 2005 zwei Werke in China eröffnete, ist spezialisiert auf die Entwicklung und Herstellung von Komponenten und Systemen für Pkw-Innenausstattung sowie von Fahrer- und Passagiersitzen für Offroad-Nutzfahrzeuge, Lkw, Busse und Bahnen.

Nahezu in Vergessenheit geraten ist es, dass die »Triumph Euro Textil AG« von 1963 bis 1966 in Amberg Bademode produzierte; ihre 78 Mitarbeiterinnen übernahm die »August Beckmann KG«, die ein paar Monate Herrenhemden statt Bikinis herstellte und dann den Betrieb für immer schloss.

Handel, Gewerbe, Dienstleistung und Industrie

Das Wirtschaftsleben hat durch die Verlegung vieler Fabrikations-, Handwerks- und Handelsbetriebe aus anderen Gebieten hierher nicht allein eine zahlenmäßige Vermehrung seiner Betriebsstätten, sondern auch eine Bereicherung durch neue Produktionszweige erfahren (Adressbuch von 1949).

Wirft man einen Blick in die 1949 existierenden Gewerbebranchen, so stellt man fest, dass es neben zahlreichen Betrieben zur Versorgung mit Gütern des täglichen Bedarfs, wie Bäcker und Metzger, Konditoreien, Kolonialwaren- und Gemischtwarenhandlungen, noch eine Vielzahl von Schneidereien gab, während Bekleidungshäuser mit Konfektionsware (wie etwa das Konfektionsgeschäft des Karl Faust in der Regierungsstraße 6 oder des Johann Lampert in der Georgenstraße 22) erst allmählich im Kommen waren; gleiches gilt für die Schuhmachereien. Die Produkte von elf »Damenputz-« oder besser Hutgeschäften rundeten das äußere Erscheinungsbild der Frau ab. Ins Auge fallen die vielen Gaststätten sowie 16 Flaschenbierhandlungen. Auffällig ist der relativ große Personenkreis, der Musikunterricht erteilte. Ein Zeitphänomen ist die Existenz einer »Amberger Tauschzentrale« in der Lederergasse 5 und 7.

Daneben veränderte sich das Einkaufsverhalten, das Angebot nahm zu und auf die Präsentation der Waren wurde mehr Wert gelegt. Erwähnt seien die Ende der 1950er-Jahre neu gestalteten, großen Schaufenster, die das Erscheinungsbild der alten Häuser gravierend veränderten, wie sie das »Kaufhaus Storg«, das »Textil und Modehaus Tutschek«, das »Modehaus Nehammer« und das »große Spezialhaus für Herren- und Knabenkleidung Weigl« an der Krambrücke teilweise in Kombination mit großen Passagen präsentierten.

Im Dezember 1954 eröffnete in der Georgenstraße 11 nach einem Umbau der erste »Lebensmittel-Großladen«. Der »WIKA-Laden« – benannt nach den Inhabern Winter und Kaul – gehörte zu der Einkaufsgemeinschaft »Befreundete Firmen« und warb mit dem Slogan »Besser leben durch WIKA-Lebensmittel«. Von 1958 bis 1971 bot eine Filiale der »Kaiser's Kaffee Geschäft AG« in der Georgenstraße 20 ihr Sortiment an. Zu dem Zweck war das Haus, in dem der Kaufmann Alois Ziegler einen Laden geführt hatte, 1957 vor allem im Erdgeschoss radikal verändert worden. Großflächige Schaufenster verdrängten den Jugendstildekor. »Kaiser's Kaffee« folgte bis 1984 mit dem Verkauf von »Lebensmitteln, Feinkost, Weinen, Spirituosen, Flaschenbier und Tabakwaren« der Firma »Emil Tenglmanns Hamburger Kaffee-Import Gesellschaft«, die bereits seit 1903 über eine Filiale in Amberg verfügt hatte. Ebenfalls zur Tenglmann-Gruppe gehörte der Textil- und Gebrauchsgüterdiscounter »Rudis Reste Rampe«, der am Roßmarkt von 1989 bis 1993 einen Laden unterhielt. 1960 öffnete außerhalb der In-

Teil des Verkaufsraums des WIKA-Geschäfts mit Süßwaren und Spirituosen

nenstadt, an der Schwindstraße 1, ein »Legros-Supermarkt«, der über eine Verkaufsfläche von 550 qm verfügte; hinzu kamen ein Imbissraum und eine Metzgerei.

Heute ist die Innenstadt mit 230 Einzelhändlern auf einer Verkaufsfläche von 40 000 qm neben den beiden Gewerbegebieten der Schwerpunkt des Handels. Das Gewerbegebiet Ost, auf dem sich neben »Kaufland« und »Media Markt« verschiedene Fachmärkte niedergelassen haben, bietet mit seinen 300 000 qm noch Möglichkeit zu weiteren Ansiedlungen. Dies gilt gleichermaßen für das 330 000 qm umfassende Gewerbegebiet West, auf dem über 80 Unternehmen ihren Standort gefunden haben; dazu zählen »Real«, der Elektromarkt »Expert«, »Aldi« und viele Handelsunternehmen. Hier befinden sich mit den Firmen »Amberger Glas« und der »Amberger Kühltechnik« zwei Exponenten des produzierenden Gewerbes. Zu erwähnen ist darüber hinaus das Gewerbegebiet Gailoh, auf dem sich überwiegend Handwerksbetriebe angesiedelt haben.

Daneben entstanden Dienstleistungszentren auf dem Gelände der ehemaligen Baumannfabrik und in der Fleurystraße. Im ersten finden sich u. a. Arztpraxen, Notariatskanzleien und das »Haus des Kunden« der fusionierten »Sparkasse Amberg-

Sulzbach«, im zweiten ist die Ansiedlung des Lokalsenders »Oberpfalz TV« zu nennen, der am 1. März 1996 den Sendebetrieb aufnahm.

Zu erwähnen sind aber ebenso die beiden Amberger Industriegebiete. Im Industriegebiet Süd ist vor allem das Geräte- und das Elektronikwerk des Siemensbereichs »Automation and Drives« anzuführen, das als Gesamtsieger den Industriewettbewerb 2007 »Die Beste Fabrik Europas« gewann. Daneben haben dort noch weitere 50 Firmen ihren Sitz, u. a. Baustoffhändler und Speditionen. Ebenfalls 50 Firmen haben ihren Standort im Industriegebiet Nord. Dazu zählt neben der weltweit agierenden »Grammer AG« die ebenfalls international operierende, 1977 gegründete »Herding GmbH Filtertechnik«.

Leben in der Stadt

Das kulturelle Leben hat jetzt wieder einen erfreulichen Stand erreicht (Adressbuch von 1949). Schon 1947 beschloss der Stadtrat die Einrichtung einer Bibliothek, die 1950 im »Klösterl« als Volksbücherei Amberg eröffnet wurde. Sie übernahm ein Jahr später die Bücher des seit 1946 im »Casino« am Schrannenplatz bestehenden »Amerikahauses«, 1966 bezog die Stadtbibliothek die Räumlichkeiten des ehemaligen »Bayerischen Schokoladenhauses« im Rathaus, 1983 das nach Andreas Raselius, dem berühmten Amberger Komponisten und Geschichtsschreiber des 16. Jhs., benannte Haus, in dem das Stadtarchiv und die 1948 aus dem Volksbildungswerk hervorgegangene Volkshochschule ebenso eine neue Bleibe fanden. Am 21. Oktober 1948 öffnete das Heimatmuseum, das während des Zweiten Weltkriegs geschlossen war, wieder seine Pforten. Nach der Sanierung des städtischen Baustadels bekam das Stadtmuseum im Sommer 1989 ein neues Haus. Zwischen 1991 und 2012 bestand das »Vorgeschichtsmuseum der Oberpfalz Amberg«, eine Außenstelle der Archäologischen Staatssammlung (vormals Prähistorischen Staatssammlung), zunächst im »Klösterl«, seit 2005 im Stadtmuseum; zu geringe Besucherzahlen führten zur Schließung. Das Stadttheater, dessen Vorhang sich am 15. September

1945 erstmals wieder hob, nachdem auf den verschiedensten Wegen Schauspieler, Sänger, Musiker und Bühnentechniker nach Amberg gekommen waren, hatte enormen Zulauf, bis es 1952 aus Brandschutzgründen geschlossen werden musste und erst nach dem Umbau der Jahre 1975 bis 1978 wieder eröffnet werden konnte. Dazwischen diente der 1955 umgebaute Festsaal des Josefshauses als Provisorium. Treibende Kraft für einen Neubeginn nach dem Krieg war der aus Cottbus stammende Joachim Kubeng, der 1945 zum ersten Ensemble gehörte.

Am 22. Dezember 1953 eröffnete Ferdinand Frey mit dem »Ringtheater« Ambergs sechstes Kino, 1954 folgten die »Scala-Lichtspiele« in der Bäumlstraße. Nach dem »Kino-Sterben« in den 1960er- bis 1980er-Jahren bestanden in Amberg bis zum Februar 2015 nur noch zwei Kinos, das »Park-« und das »Ring-Theater«, die mit der Eröffnung des neuen Multiplex-Kinos »Cineplex« vor dem Nabburger Tor ihren Betrieb einstellten.

Allmählich entstand wieder ein gesellschaftliches Leben in der Stadt. So eröffnete der Tanzlehrer Alois Bartmann *in der solide dreinschauenden* Gastwirtschaft der Creszenz Lehmeier in der Ziegelgasse am 1. Oktober 1948 »die Tanz- und Unterhaltungsgaststätte Trocadero«. In den elegant eingerichteten Saal für etwa 150 Gäste kamen zur Eröffnung *die Damen, alle in langen Kleidern, die Herren im Abendanzug* (»Amberger Zeitung«).

Am 1. März 1967 wurde im »Kaufhof« Ambergs erster, dem damaligen Motto »Jungsein ist in« gewidmeter »Beat-Shop« eröffnet. Dabei drängte sich die Jugend um die Amberger Band »The Rotten Bones«. *Das Interesse der Teenager und Twens konzentrierte sich jedoch ebenso auf die neue Kaufhof-Abteilung mit der chicen, jungen und frechen Mode im Carneby-Stil* (»Amberger Zeitung«). Die 1959 gegründete Band »The Lords« trat am 8. Mai 1967 im Josefshaus auf, wo am 8. Juli Ambergs erstes Beat-Festival stattfand. Im Juni lief in dem »Technischen Kaufhaus Conrad (TeKa)«, heute »Conrad Electronic«, in der Fleischbankgasse erstmals ein Farbfernsehgerät.

Von allergrößter Bedeutung für das Leben in der Stadt Amberg war die 1975 mit dem Sanierungsgebiet A einsetzende Altstadtsanierung. Sie war aus einer ganzen Reihe von Gründen

notwendig geworden. So hatte sich innerhalb des alten Mauer-
berings aufgrund der starken Zunahme der Bevölkerung eine
Verdichtung ergeben, zwischen Wohngebäude waren Gewer-
bebetriebe eingerichtet worden; die Funktion des Wohnens in
der Altstadt bei gleichzeitig verfallender Bausubstanz wurde
immer mehr zurückgedrängt. Zur Durchführung wurden verschiedene Sanierungsgebiete definiert, die jeweils der Umsetzung unterschiedlicher Zielsetzungen verpflichtet waren. So
diente das Sanierungsgebiet A der Schaffung von Wohnraum und Ge-
schäftsflächen durch Flächensanierung im Blockinneren. In weiteren Sanie-
rungsgebieten dominierte die Schaffung bzw. Erhaltung von Wohn-
und Arbeitsflächen durch Modernisierung der städtebaulich besonders wertvollen
Substanz. Zentrale Bedeutung kam dem Sanierungsgebiet E, der
Fußgängerzone zu. Hier stand neben deren Einrichtung die
Attraktivierung des Geschäftszentrums und Verbesserung der Wohnbedingungen
neben der Modernisierung des Rathauses und anderer öffentlicher Gebäude
im Vordergrund. An den Maßnahmen war die bereits 1965 gegründete Stadtbau Amberg GmbH maßgeblich beteiligt.

Ohne den Ausbau einer Fußgängerzone wäre die Durchführung der innerstädtischen Feste nicht möglich, deren Reigen
mit dem »Krüglmarkt«, einem Töpfermarkt auf dem Malteserplatz um »Georgi«(23. April), beginnt und über das »Altstadt-
fest« bis zum »Weihnachtsmarkt« reicht. Eine vergleichsweise
neue Veranstaltung ist die alle zwei Jahre stattfindende »Amberger Luftnacht«. Besondere Bedeutung kommt dabei dem
Marktplatz als der »guten Stube« der Stadt zu, auf dem darüber
hinaus in den Sommermonaten verschiedene Lokale zum Sitzen
im Freien einladen. Sehr gut angenommen wurde und wird der
»Amberger Bauernmarkt«, der seit 1992 jeden Freitag Käufer
anlockt. Diese Aufzählung wäre nicht vollständig ohne die Erwähnung des »Bergfests« auf dem Mariahilfberg, das auf ein
Pestgelübde von 1634 zurückgeht, und der ursprünglich auf
der Basis landesherrlicher Privilegien begründeten »Pfingst-«
und »Michaelidult« auf dem neuen Dultplatz.

Durch verschiedene Freizeitangebote stieg die Lebensqua-
lität der Stadt. So wurde zu Beginn der 1960er-Jahre Ambergs
erstes Hallenbad eingeweiht. Finanziert wurde das Projekt
durch eine Bundesfinanzhilfe in Höhe von 1,7 Mio. DM und

eine erfolgreiche Baustein-Lotterie vor Ort. 1979 konnte das völlig umgebaute »Hockermühlbad« seiner Bestimmung übergeben werden.

Im Süden der Stadt entstand in den 1990er-Jahren ein neues Viertel. Am 30. April 1990 wurde das neue »Kurfürstenbad« an der Stelle, an der sich das alte Hallenbad befunden hatte, seiner Bestimmung übergeben. Im Oktober 1991 konnten die Stadtwerke ihr neues Verwaltungsgebäude in der Gasfabrikstraße 26 beziehen. In unmittelbarer Nachbarschaft befindet sich die Hauptwache der Freiwilligen Feuerwehr, die in der Zeit vom November 1978 bis zum März 1981 erbaut wurde. Seit einigen Jahren bietet die Stadtgalerie »Alte Feuerwache im Stadtmuseum« Künstlern Gelegenheit zur Präsentation ihrer Werke.

Mit dem Bau des »Amberger Kongresszentrums (ACC)« 1996 wurde die Stadt, die seit 1994 als Oberzentrum fungiert, zum wichtigen Tagungsort; daneben beherbergt das ACC alle zwei Jahre in den Sommermonaten bedeutende Kunstausstellungen. 1996 konnte das neue Jugendzentrum »Klärwerk« eingeweiht werden. Im selben Jahr war die Landesgartenschau mit dem Thema »Leben am Fluss« zu Gast in Amberg, deren ehemaliges Gelände nicht nur über einen 3,5 km langen Spazierweg verfügt, sondern mit dem dort geschaffenen Skulpturenweg Gelegenheit bietet, sich mit Werken moderner Kunst auseinanderzusetzen.

Zum Leben in der Stadt gehört nicht zuletzt die Beschäftigung mit der eigenen Geschichte. Gute Gelegenheit boten dazu die Nordgautage der Jahre 1952, 1964, 1974 und 2009 sowie besonders die 950- und die 975-Jahr-Feier der ersten schriftlichen Nennung Ambergs 1984 bzw. 2009 mit einer Vielzahl von Veranstaltungen. Geblieben ist davon vor allem der Geschichtsweg, der vom Basteisteg zum Nabburger Tor führt.

Eingriffe in die städtische Bausubstanz

Obwohl Ambergs Altstadt von Kriegseinwirkungen verschont geblieben war, kam es in der Nachkriegszeit zu signifikanten Eingriffen in die städtische Bausubstanz. Stellvertretend sei hier der Abriss des historischen Bahnhofs genannt: Er wurde durch einen Neubau ersetzt, dessen Ausführung sowie die dabei verwendeten Baumaterialien dem Zeitgeschmack entsprachen. Die *Fassaden des neuen Bahnhofsgebäudes sollen weitgehend in Glas aufgelöst werden, um viel Licht zu gewinnen. Die Baukörper werden in Beton ausgeführt. [...] Und als optisches Tüpfelchen auf dem i des Entwurfes [...] wird auf dem auskragenden Café-Bau [...] eine sogenannte ›Springuhr‹ sitzen, die nicht mehr das gewohnte Zifferblatt, sondern das minütlich wechselnde Zahlenbild der Uhrzeit zeigt* (»Amberger Zeitung«). Der neue Bahnhof wurde am 8. September 1962 eingeweiht.

1964 führte die Raiffeisenbank erste Gespräche mit der Bundesbahn zum Ankauf des Betriebsgebäudes der Bahn (Bahnhofsstraße 19). Nach seinem Erwerb durch die Bank wurde es abgerissen und durch einen Neubau ersetzt, der 1969 seiner Bestimmung übergeben werden konnte. Nach einer Fusion der Volksbank Amberg mit der örtlichen Raiffeisenbank firmiert das Kreditinstitut seit dem Jahr 2000 als Volksbank-Raiffeisenbank Amberg eG.

Blick in die Zelte – der weltliche Teil des Bergfestes

Auf der gegenüberliegenden Straßenseite (Bahnhofsstraße 20), wo der »Pfälzer Hof« als einer der renommiertesten Hotelbetriebe Ambergs gestanden hatte, veränderte sich das Entree der Stadt ebenfalls gewaltig: *Die Fassade eines alten stillosen Hauses verwandelt zur modernen Schaufensterfront* (Städtebuch Amberg 1956); so präsentierte sich das »Textilhaus« des Leo Keuchel zu Beginn der 1950er-Jahre. Nach dessen Abbruch sowie dem weiterer Häuser auf dem Areal zwischen der Oberen Nabburger Straße und der Straße Hinter der Mauer wurde schließlich 1964 der Neubau einer »Kaufhof«-Filiale (Bahnhofstraße 20) aufgeführt. Im Dezember 1999 erwarb die Tetris Grundbesitz GmbH & Co KG, Reichenschwand, die vom »Kaufhof« genutzte Liegenschaft in Amberg mit einer Objektfläche von über 10 000 qm. Der »Kaufhof« schloss seine Filiale zum 11. Dezember 1999. Die Tetris, in der sich der firmeneigene und private Immobilienbesitz von »Wöhrl« befindet, verwirklichte ein offenes Plaza-Konzept mit Einzelhandels-Mietern aus den Bereichen Textil, Schuhe, Parfümerie, Schmuck, Lebensmitteln und Drogerieartikeln, das am 9. Dezember 2000 eröffnet werden konnte. »Wöhrl« siedelte sich in dem Haus als Magnetbetrieb an.

1970 kam es zum Abbruch und Neubau des Anwesens Georgenstraße 2 an der Krambrücke, in dem sich im 18. Jh. drei Kramläden befunden hatten und das 1762 der Rentkammerrat und Chronist Johann Kaspar von Wiltmaister an den Ratsherrn und Kaufmann Jakob Liersch verkauft hatte. Bereits 1956 hatte die Stadtsparkasse ihr neues Betriebsgebäude in der Herrnstraße 1, in der sich noch Ende der 1940er-Jahre das »Rathaus-Café« und eine »Kolonialwarenhandlung« befunden hatten, bezogen – aus der Sicht der Zeit ein *moderner, zweckmäßiger und schöner Bau* (Adressbuch von 1966).

Schul- und Behördenstadt

Die kreisfreie Stadt Amberg ist zum einen Sitz des Landrats, Landratsamts und Kreistags des Landkreises Amberg-Sulzbach, der am 1. Juli 1972 im Zuge der Gebietsreform aus den beiden Landkreisen Amberg und Sulzbach-Rosenberg entstand. Aufgrund dieser übernahm die Stadt aus dem Altlandkreis Amberg eine Fläche 2944 Hektar mit 6775 Einwohnern, wodurch sich das Stadtgebiet mehr als verdoppelte. Es handelte sich dabei um die bis dahin selbstständigen Gemeinden Ammersricht, Raigering und Gärmersdorf mit Krumbach, die mit Zustimmung des Landkreises zur Stadt kamen. Gegen dessen Willen wurden dagegen die Gemeinden Gailoh und Karmensölden Bestandteil der Stadt Amberg.

Die Stadt ist zum anderen ebenfalls Sitz des Staatlichen Bauamts Amberg-Sulzbach, des Amts für Digitalisierung, Breitband und Vermessung sowie von vier Justizbehörden: der Staatsanwaltschaft, dem Amtsgericht, dem Landgericht und der aus dem Zucht- und Arbeitshaus des 18. Jhs. hervorgegangenen hiesigen Justizvollzugsanstalt. Hinzu kommen das Staatliche Schulamt, das Zoll- und Finanzamt, die Servicestelle Amberg des Wasserwirtschaftsamts Weiden i .d. OPf. sowie das Amt für Ernährung, Landwirtschaft und Forsten. Von besonderer Bedeutung ist das Staatsarchiv Amberg, das sich nicht – wie die übrigen bayerischen Staatsarchive – am Sitz der Regierung, also in Regensburg, befindet, sondern mit seinen wertvollen Beständen in der »alten« Hauptstadt der Oberpfalz geblieben ist. Neu an die Vils kommen aufgrund der geplanten Behördenverlagerung von 2015 die gemeinsame IT-Stelle der bayerischen Justiz und ein neues Institut für Frühpädagogik. Nicht zu vergessen ist natürlich die Verwaltung der kreisfreien Stadt selbst.

Amberg verfügt über vier Gymnasien: das ehemalige Jesuitengymnasium (seit 1966 Erasmusgymnasium), die frühere Lehrerbildungsanstalt (seit 1965 Max-Reger-Gymnasium), die einstige Oberrealschule (seit 1965 Gregor-Mendel-Gymnasium) und das ehemalige Gymnasium der Armen Schulschwestern (heute Dr.-Johanna-Decker-Gymnasium, benannt nach einer 1977 in Rhodesien ermordeten Missionsärztin, die Kindheit und Jugend in Amberg verbracht hatte) unter der Trägerschaft der Schulstiftung der Diözese Regensburg. Das spätere Erasmusgymnasium war 1921 aus dem Maltesergebäude in einen Neubau am Kugelbühl verlegt worden, das nachmalige Gregor-Mendel-Gymnasium 1930 in einen ebensolchen an der

Moritzstraße. 1976 wurde der Anbau des Max-Reger-Gymnasiums, der einzigen staatlichen Internatsschule der Oberpfalz, eingeweiht.

Darüber hinaus bestehen drei »Mittelschulen« alten Typs: die dem Volkskundler, Sprachforscher, Sagen- und Märchensammler Franz Xaver von Schönwerth gewidmete staatliche Realschule, die kirchliche Dr.-Johanna-Decker-Realschule für Mädchen und die städtische Wirtschaftsschule Friedrich Arnold.

Hinzu kommen acht Grund- und Mittelschulen, eine Montessori-Schule, zwei Förder- und Sonderschulen, acht berufsbildende Schulen, eine Volkshochschule, eine Elternschule und mehrere Musikschulen. Zu erwähnen ist daneben das Staatliche Berufliche Schulzentrum Amberg mit insgesamt vier Teilschulen (Berufsschule, Berufsoberschule/Fachoberschule, Berufsfachschule für kaufmännische Assistenten und Technikerschule für Elektrotechnik und Mechatronik).

An der Spitze des Amberger Schulwesens steht aber die 1994 auf dem Areal der durch den Truppenabbau frei gewordenen Kaiser-Wilhelm-Kaserne gegründete Fachhochschule (FH) Amberg-Weiden.

Aufbruch in die Moderne:
Amberg im 21. Jahrhundert

Die Gründung der Fachhochschule ist das deutlichste Zeichen des Aufbruchs in die Moderne. Sie wurde 2008 zur »Hochschule für angewandte Wissenschaften Amberg-Weiden (HAW)«, »HAW« ist aber gleichzeitig auch »eine überaus prägnante Abkürzung für Hochschule Amberg-Weiden«, so deren Präsident Erich Bauer. Seit 2013 trägt sie zusammen mit der Hochschule Regensburg den Titel »Ostbayerische Technische Hochschule (OTH)«. Beim Festakt zum 20-jährigen Bestehen bezeichnete sie der bayerische Kultus- und Wissen-

Der Amberger Standort der Ostbayerischen Technischen Hochschule Amberg-Weiden

schaftsminister Dr. Ludwig Spaenle als »Hot Spot des Wissens, der Bildung und der angewandten Forschung in der Oberpfalz«. Der Amberger Teil der OTH umfasst die Fachbereiche Angewandte Informatik, Elektro- und Informationstechnik, Erneuerbare Energien, Kunststofftechnik, Maschinenbau, Medienproduktion und Medientechnik, Patentingenieurwesen und Umwelttechnik.

Aus kommunaler Sicht ist daneben der Stadtratsbeschluss vom 5. Mai 1997 zu erwähnen, eine lokale Agenda 21 umzusetzen. Dazu wurden die vier Arbeitskreise »kommunale Verwaltung«, »Umwelt«, »Energie, Klima, Wasser« und »Stadtplanung« (mit den Arbeitskreisen Altstadt- und Verkehrsentwicklung) gegründet. Ebenfalls in die Zukunft gerichtet war die Gründung der »Europäischen Metropolregion Nürnberg (EMN)« im Jahr 2005 unter aktiver Beteiligung der Stadt Amberg.

Neben dem Bemühen, die Zukunft zu sichern, war und ist die Stadt Amberg aber auch bestrebt, ihre reiche Geschichte zu bewahren. Ein gutes Beispiel dafür ist die Durchführung der Landesausstellung 2003. Diese war Kurfürst Friedrich V. gewidmet, der ein Jahr lang die Krone Böhmens trug und – darin dem Menschen unserer Tage durchaus vergleichbar – in einer Zeit gewaltigen Umbruchs lebte. Ihm ist das »Amberger Welttheater« aus der Feder von Johannes Reitmeier gewidmet, das 2009 und 2014 vor der eindrucksvollen Kulisse der Mariahilfbergkirche zur Aufführung gelangte und zukünftig alle fünf Jahre gelangen soll.

Das beste Indiz für die Verpflichtung gegenüber dem reichen Erbe der Vergangenheit und den Anforderungen der neuesten Zeit ist der einstimmige Stadtratsbeschluss vom 5. März 2012, im »Schießl-Stadl«, dem ehemaligen Wagenhaus Kurfürst Friedrichs V., nach dessen Sanierung das Stadtarchiv Amberg unterzubringen.

Zeittafel

1034	1. Schriftl. Erwähnung: Kaiser Konrad II. schenkt dem Hochstift Bamberg Bann-, Markt-, Zoll- und Schifffahrtsrechte in Ammenberg
1144/46	Nennung Ambergs als *oppidum forense* (befestigter Markt) im Ensdorfer Traditionsbuch
1163	Kaiser Friedrich I. gewährt den Amberger Kaufleuten die Handelsfreiheiten der Nürnberger
1242	Bischof Poppo von Bamberg verpfändet Amberg an Markgraf Berthold IV. von Hohenburg, dabei wird es erstmals als *civitas* (Stadt) bezeichnet
1269	Herzog Ludwig II. von Bayern bestätigt die Belehnung mit Amberg, Beginn der Wittelsbachischen Herrschaft
um 1270/80	1. Auftauchen eines Stadtsiegels
1294	1. erhaltene Verleihung eines Amberger Stadtrechts bzw. dessen Bestätigung durch Herzog Rudolf I. von Oberbayern
1317	König Ludwig der Bayer stiftet das (Bürger-) Spital; durch die Vergabe zahlreicher Privilegien wird er zum großen Förderer Ambergs
ab 1326	Erweiterung und Befestigung Ambergs
1329	Hausvertrag von Pavia; Amberg kommt an die Pfälzische Linie
ab 1357	Stadtwappen zeigt den pfälzischen Löwen und die bayerischen Rauten
1387	»Große Hammereinung«; Wirtschaftskartell von europäischer Bedeutung entsteht
1452/54	»Amberger Aufruhr«
1474	»Amberger Hochzeit« (Pfalzgraf Philipp mit Margarete von Bayern-Landshut)
1538	Einführung der Reformation
ab 1566	Einführung des Calvinismus
1576–83	Rückkehr zum lutherischen Bekenntnis
1592	»Amberger Lärmen«
1621/23/28	Amberg und die Oberpfalz kommen nach der Ächtung Kurfürst Friedrichs V. wieder zu Bayern
1634	Amberger Bürger geloben jährliche Wallfahrt auf den Mariahilfberg
1703	Besetzung nach mehrwöchiger Belagerung im Span. Erbfolgekrieg
1715/16	Amberg wird Garnisonsstadt
1743	Besetzung durch kaiserliche Truppen im Österr. Erbfolgekrieg
1782	1. Ausgabe des »Gemeinnützigen Wochenblatts«

1796	Schlacht bei Amberg: Erzherzog Karl von Österreich besiegt ein franzö. Heer unter General Jourdan
1801	Verlegung der kurfürstlichen (ab 1806 königlichen) Gewehrfabrik nach Amberg
1810	Verlust des Regierungssitzes an Regensburg
1851	»Amberger Tagblatt«, 1. Tageszeitung der Stadt
1859	Anschluss an das Eisenbahnnetz
1872	Gründung der Emailwarenfabrik Gebr. Baumann
1883	Anblasen des ersten Hochofens im Amberger Bergamt, der späteren Luitpoldhütte
1933	»Gleichschaltung« Ambergs
1945	Kampflose Übergabe an US-Truppen
1945–50	Einwohnerzahl wächst durch den Flüchtlingszustrom um fast 12 000 Einwohner auf 44 000 Personen
1948	Ansiedlung des Siemens Gerätewerks
1965	Städtepartnerschaft mit Périgueux (Frankreich)
1972	Eingemeindung von Ammersricht, Gailoh, Gärmersdorf, Karmensölden und Raigering (Gebietsreform)
1975	Beginn der Altstadtsanierung
1994	Landtag beschließt das Gesetz zur Errichtung der Fachhochschule Amberg-Weiden; Amberg wird Oberzentrum
1995	Aufnahme des Vorlesungsbetriebes an der Fachhochschule
1996	Landesgartenschau »Stadt am Fluss«; Eröffnung des Amberger Kongresszentrums (ACC)
2001	Städtepartnerschaft mit Ustí nad Orlicí (Tschechien), Trikala (Griechenland) und Bystrzyca Klodzka (Polen)
2003	Bayerische Landesausstellung »Der Winterkönig. Friedrich V. Der letzte Kurfürst aus der Oberen Pfalz« in Amberg
2006	Städtepartnerschaft mit Desenzano del Garda (Italien)
2009	975-Jahr-Feier der 1. schriftlichen Nennung Ambergs

Bürgermeister und (seit 1924) Oberbürgermeister

1807–12 / 1818–40	Anton Weingärtner
1840–50	Joseph Rezer
1850–66	Clement Greil
1866–92	Vinzent König
1892–1907	Joseph Heldmann
1907–13	Georg Schön
1913–33	Dr. Eduard Klug (BVP)
1933	Otto Saugel (kommissarisch)
1933–45	Josef Filbig (NSDAP)
1945–46	Christian Endemann (SPD)
1946	Dr. Eduard Klug
1946	Christian Endemann (SPD)
1946–52	Michael Lotter (CSU)
1952–58	Josef Filbig (Deutsche Gemeinschaft)
1958–70	Wolf Steininger (CSU)
1970–90	Franz Prechtl (CSU)
1990–2014	Wolfgang Dandorfer (CSU)
seit 2014	Michael Cerny (CSU)

Abgekürzt verwendete (gedruckte) Quellen und Literatur

Amberg 1034–1984. Aus tausend Jahren Stadtgeschichte (Ausstellungskat. d. Staatl. Archive Bayerns 18), Amberg 1984.

Ambronn Karl-Otto: Jahrmarktsprivileg Kurfürst Ruprechts I., in: Amberg 1034–1984 [Katalog], S. 450, Nr. 49.

Chrobak Werner: Kirchengeschichte Ambergs von 1803 bis 1918, in: Amberg 1034–1984, S. 301–320.

Destouches Joseph von: Statistische Darstellung der Oberpfalz und ihrer Hauptstadt Amberg vor und nach der Organisation von 1802 […], Sulzbach 1809.

Dollacker Anton: Ortsgeschichtliche Forschungskommission (StadtAA Handschriften 15/1), 1912–29. – *Ders.,* Geschichte der Stadt Amberg von der Urzeit bis 1864. Mit Nachträgen, Bürgermeisterverzeichnis und Registern (StadtAA Handschriften 18), Amberg 1935. – *Ders.,* Geschichte der Stadt Amberg für die Zeit von 1864 bis 1912. Fortsetzung der Hubmannschen Chronik (StadtAA Handschriften 19), Amberg 1914.

Die Dollacker-Chronik – 900 Jahre Geschichte der Stadt Amberg und des Umlandes (Der Eisengau 27, 2007; 28, 2008; 29, 2009).

Fritsch Rudolf: Ambergs Stadtverfassung und städtische Verwaltungsorgane, in: Amberg 1034–1984, S. 45–60.

Götschmann Dirk: Das Armaturwerk Fortschau (1689–1801). Geschichte eines Unternehmens in der Oberpfalz (Verhandlungen des Historischen Vereins für Oberpfalz und Regensburg = VHVO 119), 1979, S. 77–136.

Hammermayer Ludwig: Illuminaten in Bayern. Zu Geschichte, Fortwirken und Legende des Geheimbundes (Wittelsbach und Bayern III/1), München 1984, S. 146–173.

Hentsch Mathias: Ambergs erster Rennfeuerofen (06.03.2013), http://www. schauhuette.de/blog/archives/592. – *Ders.,* Ambergs Rennfeuerofen – datiert (19.03.2013), http://www.schauhuette.de/blog/archives/594

Herrmann Erwin: Stadtgrundriß und Stadtbild als Quellen der Stadtgeschichte, in: Amberg 1034–1984, S. 349–364.

Hubmann Johann Georg: Chronik der Stadt Amberg von 1777 bis 1864 (StadtAA Handschriften 21), Amberg 1867.

Knedlik Manfred: Leonhard Müntzer. Ein dichtender Kämmerer der Frühen Neuzeit in Amberg. Eine Edition, Regensburg 2013.

Koch Robert: Stadtkerngrabungen in Amberg 1984, in: Ausgrabungen und Funde in Altbayern 1983/84. Ausstellung im Gäubodenmuseum, Straubing 1984, S. 56f.

Lampl Sixtus: Amberger Sakralräume des Barock und Rokoko, in: Amberg 1034–1984, S. 379–390.

Löwenthal Felix Adam Frhr. v.: Geschichte von dem Ursprung der Stadt Amberg, München 1801.

Mages Emma: Gemeindeverfassung (19./20. Jh.), in: Historisches Lexikon Bayerns, http://www.historisches-lexikon-bayerns.de/artikel/artikel_44499 (28.04.2014).

Popp Marianne: Kirchengeschichte Ambergs zwischen Rekatholisierung und Säkularisation, in: Amberg 1034–1984, S. 137–152.

Press Volker: Das evangelische Amberg zwischen Reformation und Gegenreformation, in: Amberg 1034–1984, S. 119–136.

Reinhard Christian: Fürstliche Autorität versus städtische Autonomie. Die Pfalzgrafen bei Rhein und ihre Städte 1449 bis 1618: Amberg, Mosbach, Nabburg und Neustadt an der Haardt (Veröff. der Komm. für gesch. Landeskunde in Baden-Württemberg Reihe B 186), Stuttgart 2012.

Schenkl Johann Baptist: Neue Chronik der Stadt Amberg, Amberg 1817.

Scherer Emil Clemens: Schwester Ignatia Jorth und die Einführung der Barmherzigen Schwestern in Bayern. Zur Jahrhundertjahrfeier der Barmherzigen Schwestern aus dem Mutterhaus zu München am 10. März 1932, Gebweiler 1932.

Schmid Peter: Die Reformation in der Oberpfalz, in: Hans-Jürgen Becker (Hg.), Der Pfälzer Löwe in Bayern. Zur Geschichte der Oberpfalz (Schriftenreihe der Universität Regensburg 24), 1997, S. 102–129.

Schneider Hans: Tatsachenbericht über die Feuerlöschwesen-Ausbildung der Feuerwehrangehörigen der Freiwilligen Feuerwehr des Stadtkreises Amberg im Zeitraum vom 1. Januar 1940 bis 24. Juli 1947 (StadtAA Handschriften 52), 1955.

Schöberl Matthias: Vom pfälzischen Teilstaat zum bayerischen Staatenteil. Landesherrliche Durchdringungs- und Religionspolitik kurpfälzischer und kurbayerischer Herrschaft in der Oberen Pfalz von 1595 bis 1648, 2006.

Schubert Friedrich Hermann: Christian I., in: Neue Deutsche Biographie 3 (1957), S. 221–225.

Schwarz Helmut: Schmidt, Josef Friedrich, in: Neue Deutsche Biographie 23 (2007), S. 187f.

Schweiger Michael: Chronica oder kurtze beschreibung der churfürstlichen stad Amberg [...], Wittenberg 1564.

Volkert Wilhelm: Amberg und die Kurfürsten von der Pfalz, in: Amberg 1034–1984, S. 61–74.

Wiltmaister Johann Kaspar von: Churpfälzische Kronik, oder Beschreibung vom Ursprunge des jetzigen Nordgau und obern Pfalz, derselben Pfalzgrafen, Churfürsten und andern Regenten [...], Sulzbach 1783.

Wolf Peter: Neubeginn Glas. Wirtschaftsglasindustrie seit 1945 (Schriftenreihe des Bergbau- und Industriemuseums Theuern 28), Theuern 1994.

Wolf Helmut: Oberpfälzer Eisen im Wandel der Geschichte, in: Die Oberpfalz und ihre Nachbarn aus dem ehemaligen Nordgau (Festschrift zum 30. Bayerischen Nordgautag in Sulzbach-Rosenberg), Regensburg 1994, S. 104–111.

Ziegler Walter: Die Rekatholisierung der Oberpfalz, in: Hubert Glaser (Hg.), Um Glauben und Reich. Kurfürst Maximilian I. (Wittelsbach und Bayern II/1), München 1980, S. 436–447.

Literatur *(Auswahl)*

Ambronn Karl-Otto/Sagstetter Marita (Hgg.): Das Fürstentum der Oberen Pfalz. Ein wittelsbachisches Territorium im Alten Reich. Ausstellung des Staatsarchivs Amberg in Zusammenarbeit mit der Kommission für bayerische Landesgeschichte bei der BAdW (Ausstellungskataloge der Staatl. Arch. Bayerns 46), München 2004.

Bergbau- und Industriemuseum Ostbayern (Hg.): Die Oberpfalz, ein europäisches Eisenzentrum. 600 Jahre Große Hammereinung (Schriftenreihe des Bergbau- und Industriemuseums Ostbayern 12), Theuern 1987.

Bungert Hans/Prechtl Franz (Hgg.): Ein Jahrtausend Amberg (Schriftenreihe der Universität Regensburg 11), Regensburg 1985.

Frank Hans: Stadt- und Landkreis Amberg, in: Kommission für bayerische Landesgeschichte (Hg.), Historisches Ortsnamenbuch von Bayern, Abt. Oberpfalz, Bd. 1, München 1975.

Giersch Robert: Baugeschichte des kurfürstlichen Schlosses und Zeughauses zu Amberg. Quellenforschungen zur Bau- und Stadtgeschichte, masch. Amberg 1991. – *Ders.,* Quellenforschung zur Geschichte der Alten Residenz der Pfalzgrafen und des benachbarten Anwesens Eichenforstgäßchen 2 zu Amberg, masch. Amberg 1993.

Götschmann Dirk: Oberpfälzer Eisen. Bergbau- und Eisengewerbe im 16. und 17. Jh. (Schriftenreihe des Bergbau- und Industriemuseums Ostbayern 5), Theuern 1985.

Haus der bayerischen Geschichte (Hg.): Amberg-Sulzbacher Land (Edition Bayern 7), Augsburg 2011.

Herrmann Erwin: Zur Stadtentwicklung in Nordbayern (Archiv für die Geschichte von Oberfranken 53), 1973, S. 31–79.

Jungwirth Hans: Reihengräber in Amberg (Oberpfälzer Heimat 7), 1962, S. 50–54.

Klinger Heinrich: Die Bevölkerungsbewegung der Stadt Amberg bis zum ausgehenden 19. Jh., Diss. masch. Regensburg 1969; Teilabdruck: VHVO 109, 1969, S. 145–168.

Laschinger Johannes (Hg.): Der Winterkönig. Königlicher Glanz in Amberg. Vortragsreihe des Stadtarchivs Amberg zur Landesausstellung 2003 (Beiträge zur Geschichte und Kultur der Stadt Amberg 1), Amberg 2004. – *Ders. (Hg.),* Archivische Schätze. Aus 975 Jahren Amberger Geschichte (Beiträge zur Geschichte und Kultur der Stadt Amberg 4), Amberg 2009. – *Ders. (Hg.),* Aus Ammenberg wird Amberg. Historische Vorträge aus 975 Jahren Amberger Geschichte (Beiträge zur Geschichte und Kultur der Stadt Amberg 5), Amberg 2010. – *Ders.,* Amberg. Eine Stadt vor 100 Jahren. Bilder und Berichte, Regensburg 1998. – *Ders.,* Denkmäler des Amberger Stadtrechts, Bd. 1–3, in: Kommission für bayerische Landesgeschichte (Hg.), Bayerische Rechtsquellen 3, 1–3, München 1994, 2004, 2012. – *Ders.,* Judenpogrom in Amberg 1938, in: Stadtarchiv Amberg (Hg.), Facetten des Nationalsozialismus in der Oberpfalz (Beiträge zur Geschichte und Kultur der Stadt Amberg 6), Amberg 2013, S. 14–37.

Leingärtner Georg: Amberg I. Landrichteramt Amberg (Historischer Atlas von Bayern, Teil Altbayern 24), München 1971.

Lipowsky Felix Joseph: Chronica oder kurze Beschreibung der churfürstl. Stadt Amberg in der oberen Pfalz, zusammengebracht durch Michael Schwaiger, Bürgermeister daselbst [...], München 1818.

Mader Felix (Bearb.): Stadt Amberg, in: Die Kunstdenkmäler des Königreichs Bayern, Bd. 2, Heft 16, München 1909.

Oberpfälzer Kulturbund *(Hg.)*: 975 Jahre Amberg – Eine Stadt in der Mitte des histori-schen Nordgaus. Festschrift zum 38. bayerischen Nordgautag in Amberg, Re-gensburg 2009.

Press Volker: Die Grundlagen der kurpfälzischen Herrschaft in der Oberpfalz 1499–1621 (VHVO 117), 1977, S. 31–67. – Ders., Die evangelische Oberpfalz zwischen Land und Herrschaft – bestimmte Faktoren der Konfessionsentwicklung 1520–1621, in: Das evangelische Amberg im 16. Jh. (Aus dem Stadtarchiv Amberg 1), Amberg 1983, S. 6–28. – Ders., Amberg – Historisches Porträt einer Hauptstadt (VHVO 127), 1987, S. 7–34.

Sage Walter: Archäologische Untersuchungen in der Pfarrkirche St. Georg zu Am-berg (Archiv für Geschichte von Oberfranken 59), 1979, S. 25–39.

Schertl Philipp: Die Amberger Jesuiten im ersten Dezennium ihres Wirkens (1621–32), I. Teil (VHVO 102), 1962, S. 101–194.

Schiener Anna: Die städtische Sparkasse Amberg im 19. Jh. Ein Beitrag zur Wirt-schafts- und Sozialgeschichte der Oberpfalz (Regensburger Beiträge zur Regio-nalgeschichte 14), Regensburg 2012.

Seitz Reinhard H.: Amberg, in: Erich Keyser/Heinz Stoob (Hgg.), Bayerisches Städte-buch, 2, Stuttgart 1974, S. 48–57.

Stahl Herbert: Die Wirtschaftsordnung der Stadt Amberg im späten Mittelalter und in der frühen Neuzeit, Diss. Erlangen 1969.

Sturm Heribert: Zur ältesten Geschichte Ambergs (Oberpfälzer Heimat 4) 1959, 30–42. – Ders., Die Handelsprivilegien Ambergs im Mittelalter (Oberpfälzer Heimat 5) 1960, 31–43. – Ders., Zur geschichtlichen Individualität der Stadt Amberg (Oberpfälzer Heimat 12) 1968, S. 71–99.

Volkert Wilhelm: Die politische Entwicklung der Pfalz, der Oberpfalz und des Fürs-tentums Pfalz-Neuburg bis zum 18. Jh., in: Andreas Kraus (Hg.), Handbuch der bayerischen Geschichte, begr. v. Max Spindler, Bd. 3, 3, München 1995, S. 3–144. – Ders., Zum historischen Oberpfalz-Begriff, in: Hans-Jürgen Becker (Hg.), Der Pfälzer Löwe in Bayern. Zur Geschichte der Oberpfalz (Schriftenrei-he der Universität Regensburg 24), Regensburg 1997, S. 9–24.

Ziegler Walter: Die Rekatholisierung der Oberpfalz, in: Hubert Glaser (Hg.), Um Glauben und Reich. Kurfürst Maximilian I. (Wittelsbach und Bayern, II, 1) 1980, S. 436–447.

Register

Ortsregister (Amberg)

Allee 110
Am Wagrain, Siedlung 133
Amberger Kongresszentrum (ACC) 153
Amerika-Haus 150
Amtsgericht 92, 138, 156
Bahnhof 111, 115, 154
Basteisteg 153
Bauhaus 32
Dockenhansl 79
Drahthammer 29, 37, 71
Eichenforst, Alte Veste 7, 43f., 50, 86
Englischer Garten 111
Erzberg 7, 19, 36, 112
Friedhof
  – bei der Hl. Dreifaltigkeit 56, 119
  – bei St. Georg 56, 74
  – bei St. Katharina 56
  – bei St. Martin 56
Fronfeste 131, 137
Fürstenhof 90
Geschichtsweg 154
Hafner- u. Jägerhaus 44
Heeresnebenzeugamt 137f., 143
Hochgericht bei d. Eichenstauden 20, 26
Hockermühlbad 153
Hof- u. Küchenmeisterhaus 44
Holzmarkt 43
Jesuitengymnasium 70, 74, 84, 156
Jesuitenlyzeum 84
Josefshaus 151
Jugendzentrum »Klärwerk« 154
Kaiser-Wilhelm-Kaserne (KWK) 83f., 157
Kanzlei 7, 44, 55, 59, 98
Kirchen und Klöster
  – Andreas-Hügel-Haus 143
  – Dreifaltigkeitskapelle 55, 84, 139, 142
  – Franziskanerhospiz 103
  – Franziskaner, Kirche / Kloster 22, 58, 70, 90, 92
  – Frauenkirche, Hofkapelle 22
  – Haus der Barfüßer 57
  – Heilige Familie 142
  – Jesuitenkolleg 75, 77, 85, 92, 96
  – Mariahilfbergkirche 7, 71, 75–78, 89, 110
  – Paulaner, Kirche / Kloster 75, 92, 96, 101, 121
  – Salesianerinnen, Kirche / Kloster 75f., 86, 92, 104
  – Spitalkirche 16, 55, 57
  – St. Georg 7, 14, 16, 19, 33f., 55, 58, 60, 70, 73f., 111
    –, Karner (Ulrichskapelle) 15, 55
    –, Pfarrhof 70
  – St. Katharina 56
  – St. Martin 7, 13, 16, 22, 25, 28, 33–36, 42, 45, 50f., 55, 58ff., 73, 79, 95f., 109, 128, 139
    –, Karner (Leonhardskapelle) 55
  – St. Michael 143
  – St. Sebastian 55, 142
Klösterl siehe Steinhaus, vorderes
Krambrücke 35, 148, 155
Kurfürstenbad 153
Leopoldkaserne 84, 123, 137f., 142
Leprosenhaus
  – a. d. alten Nürnberger Straße 56
  – a. d. Regensburger Straße 56
Ludwigschacht 112
Luitpoldhütte 112, 124, 128, 131, 133, 145f.
Max-Denkmal 110
Militärlazarett 84, 92, 96, 125
Münzstätte
  – d. Mittelalters 18
  – d. Neuzeit 93, 113
»Pfälzer Hof« 155
Provinzialbibliothek 92
Raseliushaus 150
Rathaus 7, 10f., 28ff., 54, 80f., 107f., 124, 127, 129, 132f., 137, 139f., 150, 152, 155
Regierungskanzlei 7, 55, 86, 89, 97f.
Ritter-von-Möhl-Kaserne, Pond Barracks 79, 83
Saumarkt 41
Schloss 31ff., 41, 46, 48, 50–54, 62f., 66, 70, 87, 93, 107
  –, Brücke 62
  –, Fuchssteiner Turm 62
  –, Zwinger 62

Schmalzstadel 53
Spital 16, 19, 22f., 25f., 30, 41, 56,
    104ff.
Stadtarchiv 150, 159
Stadtbefestigung:
- Barocke Fortifikation 110
    - Georgentor 30f., 74
    - Nabburger Tor
        - erstes (Spitaltor) 18, 30f.
        - zweites 30, 107, 111, 113, 127,
            151, 153
    - Neutor 30, 111
    - Spitalgraben 30
    - Spitaltor s. Nabburger Tor, erstes
    - Stadtmauer 15f., 19, 28–34, 41,
        48, 52, 56, 62, 85f., 110f., 115,
        141, 152, 154
    - Vilstor 30, 32, 110f.
    - Wassertorbau »Stadtbrille« 31, 34,
        50
    - Wingershofer Tor erstes, zweites
        30, 33, 111, 119, 127
    - Ziegeltor 30, 111, 114
Stadtbibliothek 150
Stadtmuseum 32, 150, 153
Stadttheater 90f., 95, 97, 150
Steinhaus
    - hinteres 7, 44f., 48f., 103ff., 150
    - vorderes, Klösterl 7, 44f., 47f.,
        79, 103f., 150
Steinhof 82
Steinhofkaserne 82
Straßen und Plätze
    - Am Bergsteig 138, 142
    - Am Kugelfang 133
    - Am Wagrain 133
    - Auf der Wart 115
    - Bahnhofsstraße 30, 155
    - Bayreuther Straße 133
    - Birkenhain 133
    - Blinde Gasse 28
    - Breite Gasse 28
    - Dollackerstraße 133
    - Dr.-Klug-Straße 133
    - Eichenforstplatz 10
    - Fleurystraße 149
    - Frauenplatz 11
    - Fronfestgasse 111
    - Georgenstraße 74, 127, 134, 148,
        155
    - Herrnstraße 10, 81, 97, 155
    - Hinter der Mauer 155

- Hofgasse 63
- Kasernstraße 81
- Löffelgasse 85
- Malteserplatz 127, 152
- Marktplatz 28, 30, 41, 49, 51, 82,
    107, 127, 132, 135, 139, 152
- Maxplatz 111
- Nürnberger Straße 55
- Obere Nabburger Straße 10f., 72,
    79, 155
- Paulanergasse 30
- Paulanerplatz 55
- Regensburger Straße 55, 138
- Regierungsstraße 63, 148
- Roßmarkt 148
- Schiffgasse 28
- Schinhammer Straße 133
- Schlachthausstraße 132, 144
- Schlachthofstraße s. Schlachthaus-
    straße
- Schrannenplatz 104, 150
- Schwindstraße 149
- Seminargasse 101
- Untere Nabburger Straße 30, 117
- Wingershofer Torplatz 31, 33, 111,
    119, 127
- Zeughausstraße 30
- Ziegelgasse 147, 151
Synagoge
    - d. Mittelalters 27
    - d. 19. Jhs. 103, 137
Theresienstollen 112, 114
»Türkenwirtshaus« 115
Vils 7, 11f., 15, 22, 30f., 34ff., 40–48,
    56f., 70, 103, 131f., 156
Vorgeschichtsmuseum 150
Vorstädte
    - Spital 19, 67
    - St. Georg 19
Wagenhaus 55, 158
Walfischhaus 85
Zeughaus
    -, kurfürstliches 32, 53
    -, städtisches 32, 111
Zimmerwiese 67
Zucht- u. Arbeitshaus 90, 156

Ortsregister (allgemein)

Ammersricht 156
Ansbach 154
Auerbach 20
Augsburg 54, 59f., 86
Bamberg 7, 12–19, 24
 – Stift St. Jakob 14
Bayreuth 54, 94, 96, 114
Berlin 65
Bernburg 53
Böhmen 14, 54, 63, 113, 115, 144, 159
Breslau 65
Brünn (Tschechien) 95
Burglengenfeld 20, 43
Capestrano (Italien) 57
Cottbus 151
Dachau 136f., 140
Deining 89
Deinschwang 53
Donau 16, 40f.
Ensdorf 16, 92
Eschenbach 20
Florenz 45
Flossenbürg 140
Franken 97
Frankfurt 54
Frankreich 47, 78f., 95f.
Freising 54, 111
Freudenberg 72
Gärmersdorf 84, 156
Gailoh 143, 149, 156
Gerresheim 147
Gnadenberg, Kloster 76
Griechenland 51
Hagenau 54
Haida 143
Heidelberg 17, 51, 53, 58, 64
Hessen 47, 52, 60
Hirschwald 60
Hohenburg 17f.
Istrien 51
Italien 17, 47, 73
Karlsbad 143f.
Karmensölden 156
Kastl, Kloster 41, 70, 115
Kemnath 49
Köfering 138
Köln 54, 86
Köthen 53
Krumbach 156
Kümmersbruck 123, 131

Landsberg 131
Landshut 50f., 136
Lauterhofen 115
Luigendorf 138
Magdeburg 54
Mainz 16, 54
Meißen 54, 128
Metten, Kloster 103
Michelfeld, Kloster 92
Monemvasia (Griechenland) 51
Moos 48, 66
München 74f., 81, 87f., 92ff., 104, 115,
 119, 121, 135ff., 130
Münster 68
Naab 40f.
Naabkreis 97
Neumarkt i. d. OPf. 20, 82
Neunburg vorm Wald 20, 75, 103
Neustadt a. d. Waldnaab 20, 144
Niederlande 65, 79
Nikopolis (Bulgarien) 45
Nittenau 121
Nördlingen 54
Nordgau 12, 43, 153
Nürnberg 16f., 3f., 45, 57, 106, 115,
 117, 159
Oberösterreich 67
Oberpfalz, alte Pfalz 7f., 27, 39, 48,
 52f., 58ff., 62f., 65ff., 69f., 73,
 80f., 87–92, 94, 104, 106, 110f., 115,
 130, 156, 158
Oberviechtach 20
Österreich 54, 78f., 84, 88, 96. 113
Oranien-Nassau 53
Osnabrück 68
Paris, Arc de Triomphe 88
Passau 16, 42
Pavia (Italien) 20, 41, 44, 65
Pfalz
 – alte s. Oberpfalz
 – junge s. Pfalz-Neuburg
Pfalz-Neuburg, junge Pfalz 54
Pisa (Italien) 46
Pommern 45
Prag (Tschechien) 14, 64f.
Preußen 83, 109
Prüfening 24, 93
Raigering 156
Regen 92
Regenkreis 97
Regensburg 8, 12, 14, 16, 27, 41f., 46f.,
 51, 54, 67, 75, 80, 96–99, 103,
 108f., 115, 121, 130f., 155ff.
 – Katharinenspital 19

Reichenbach, Kloster 80, 92
Rheinpfalz, Kurpfalz 47, 49, 51ff., 55, 59, 66
Ried (Österreich) 96
Rivoglio (Istrien) 51
Rosenberg s. Sulzbach-Rosenberg
Ruhr 129
Russland 82, 96
Sachsen 51, 54
Salerno (Italien) 17
Salzburg 57
Savoyen 75
Schauenburg 53
Schmidmühlen 114f.
Schwaben 97
Schwandorf 115
Schweinfurt 54
Seligenporten, Kloster 76
Sizilien (Italien) 45
Solnhofen 60
Speinshart, Kloster 92
Speyer 51, 54
Steinschönau 143
Stolp 45
Straßburg (Frankreich) 54
Sudetenland 141
Sulzbach s. Sulzbach-Rosenberg
Sulzbach-Rosenberg 37ff., 91, 102, 109, 112, 130, 150, 155
Thüringen 54
Tirol (Österreich) 97
Tirschenreuth 63
Trient (Italien) 40
Trier 54
Ulm 42, 54
Ungarn 42
Versailles (Frankreich) 128
Vohenstrauß 20
Walderbach, Kloster 92
Waldsassen, Kloster 92
Weiden i. d. Opf. 20, 109, 156
Weißenohe, Kloster 92
Weißer Berg (Tschechien) 64f.
Wien (Österreich) 27, 80
Wittenberg 57ff.
Worms 54
Württemberg 54
Wunsiedel 102, 117

Personenregister

Abkürzungen
Bf. = Bischof, Bg. = Bürger, Bgin. = Bürgerin, Bgm. = Bgm., d. = der, die, das, Frhr. = Freiherr, Gem. = Gemahl(in), Gf. = Graf, Hzg. = Herzog, K. = Kaiser, Kf. = Kurfürst, Kg. = König, Min. = Minister, OB = Oberbürgermeister, Pfgf. = Pfalzgraf, Pz. = Prinz, u. = und, v. = von.

Adolf, Pfgf. (1409) 47
Agricola, Georg, Leiter d. Lateinschule, Stadtphysicus (1530–75) 59
Albert III. v. Stauffenberg, Bf. v. Regensburg (1409–21) 46
Alexander V., Papst (1409–10) 46f.
Alexander VII., Papst (1655–67) 75
Alhart
   – Amberger Fam. 25, 34
   – Fritz, Münzmeister 18, 44
   – Jutta, Bgin. 44
Allioli, Joseph Anton, Bgm. (1800–07) 99
Ammo, Burgherr 12
Andreas v. Regensburg, Geschichtsschreiber († um 1438) 26, 47
Anhalt, Christian v., Statthalter d. Oberpfalz (1595–1621, † 1630) 52f., 62f., 65
Anna v. Anhalt-Bernburg, Gem. Christians v. Anhalt (1579–1624) 52
Arnpeck, Veit, Geschichtsschreiber (um 1440–96) 49
Arnstein, jüd. Fam. 102
Asam, Cosmas Damian, Architekt u. Maler (1686–1739) 77f.
Aventinus, Johannes, Geschichtsschreiber (1477–1534) 16
Bartmann, Alois, Tanzlehrer 151
Battis, Jakob de, Kirchenrat 90, 93
Bauer Dr., Erich, Prof., Präs. d. OTH-Amberg-Weiden (2003–15) 158
Baumann
   – Christian, Emailfabrikant 8, 102, 116f.
   – Georg, Emailfabrikant 8, 102, 116f.
   – Johann, Emailfabrikant 8, 102, 116f.
   – Katharina, Mutter d. Christian, Georg u. Johann Baumann 117

Beatrix v. Sizilien, Gem. Kf. Ruprechts II. (1326–65) 44

Beck, Conrad, Lehrer 54

Beiml, Stephan, Bgm. (1760–71) 114

Benedikt XIII., Gegenpapst (1394–
1423) 46

Berthold IV., Markgf. v. Hohenburg
(1215–56 o. 1257) 17

Bloch, Ernst (1890–1945) 136

Bonaventura, Abt v. Reichenbach
(1698–1735) 80

Brion, Mechtild, Favoritin Kf. Clemens
Augusts v. Köln 86

Bruckmüller, Thomas, Mehlhändler 91,
104, 120, 122

Bruder Barnabas, Paulanermönch
(1750–95) 121

Bucquoy, Karl Bonaventura Gf. v.,
Heerführer (1571–1621) 65

Burgau, Frhr. v., Landesdirektionsrat 90

Camus, Oberst 80

Carlone, Giovanni Battista, Stuckateur
(zw. 1640 u. 1642 – zw. 1718 u.
1721) 76, 78

Carlotta Freiin v. Ingenheim (1704–49)
86

Chantal, Franziska v., Ordensgründerin,
hl. (1572–1641) 75

Chorbacher, Ludwig, Oberst 138

Clemens August, Ebf. u. Kf. v. Köln
(1723–61) 86

Cosmas v. Prag, Chronist (um 1045–
1125) 14

Cranach, Lucas d. Ä., Maler (1472–
1553) 76

Crayer, Caspar de, Maler (1584–1669)
74

D'Aglio, Paolo, Stuckateur (1655–1729)
75

Dalberg, Carl v., Fürstprimas (1744–
1817) 97

Destouches, Joseph Anton v., Hofkammerrat u. Chronist (1767–1832)
90f., 97, 111, 114f., 118

Dientzenhofer
– Georg, Baumeister (1643–89) 75
– Wolfgang, Baumeister (1648–
1706) 75f., 78, 85

Dollacker, Anton, Heimatforscher
(1862–1944) 9f., 117, 119, 123ff.,
127f., 130, 133

Dorothea, Pfgfin. (1562) 52

Dorothea v. Dänemark, Gem. Kf. Friedrichs II. (1520–80) 54

Eberhard I., Bf. v. Bamberg (1007–40)
12, 15

Eberhard II., Bf. v. Bamberg (1146–70)
15

Eder, Johann Wolfgang, Bg., Schreiner
87

Egilbert, Bf. v. Bamberg (1139–46) 16

Ehrensberger, Andreas, approb. Bader
105

Eisner, Kurt, Publizist, Politiker (1867–
1919) 126f.

Elisabeth v. Hessen, Gem. Kf. Ludwigs
VI. (1539–82) 52f., 60

Elisabeth v. Hohenzollern-Nürnberg,
Gem. Kg. Ruprechts (1358–1411) 44

Elizabeth Stuart, Gem. Kf. Friedrichs V.
(1596–1662) 63

Endemann, Christian, kommiss. OB
(1945–46) 140f.

Ernst, Kf. v. Sachsen (1464–86) 51

Esser, Hermann, nationalsozialist. Politiker (1900–81) 130

Falkenstein, Gf. v., Adelsgeschl. 16

Faust, Karl, Inhaber eines Konfektionsgeschäfts 148

Feil, Ludwig (1856–1933) 117

Felsner, Dosenfabrikant 114

Fenzl, Josef, Buchhändler 85

Ferdinand II., Kg. v. Böhmen (1617–
19), K. (1619–37) 64f.

Filbig, Josef, OB (1933–45, 1952–58)
135f.

Fleischmann,
– Eustach, Bgm. (1778–96) 114
– Joseph, Lederer, Dosenfabrikant
114

Forster, Michael, Drucker († 1622) 38

Frank
– Adelsfam. 97f.
– Clementina Sabina Paula v. 98

Franz Xaver, Jesuitenmissionar, hl.
(1506–52) 73

Frick, Wilhelm, Reichsinnenmin.
(1933–43) 134

Frey, Ferdinand, Kinobesitzer 151

Friedrich I., röm. Kg. (seit 1152), K.
(1155–90) 15f.

Friedrich II., röm. Kg. (seit 1212), K.
(1220–50) 17

Friedrich I., Kf. v. d. Pfalz (1451–76) 31, 49ff.

Friedrich II., Kf. v. d. Pfalz (1544–56) 37f., 50, 52, 57

Friedrich III., Kf. v. d. Pfalz (1559–76) 52, 59–62

Friedrich IV., Kf. v. d. Pfalz (1583–1610) 38, 41, 53f., 61f., 69, 90

Friedrich V., Kf. v. d. Pfalz (1610–23, † 1632), Kg. v. Böhmen (1619–21) 53, 55, 62ff., 72, 159

Friedrich Christian, Kf. v. Sachsen (1763) 86

Friedrich Philipp, Pfgf. (1567) 52

Fröschel, Sebastian, luth. Theologe (1497–1570) 57f.

Garbanini, Francesco, Baumeister 73

Gebenbeck, Albrecht, Geistlicher u. Spitalpfleger 23

Gebhard, Johann, v. Prüfening, Maler (1676–1756) 93, 106

Gerhardinger, Karolina, Ordensgründerin (1797–1879) 103

Gernhard, Lutholf, Bgm. (1626–34) 69

Giehrl, Robert, Feuerwehr-Zugführer 138

Girisch, Franz Michael, Bgm. (1800–07) 99

Glöttner, Johann Nepomuk, Franziskanerprovinzial 103

Gobel, Franz Gustav Frhr. v., Kurfürstl. Kämmerer 85

Godlevsky, Leopold, Oberlehrer (1878–1942) 137

Göring, Hermann 130

Götz, Gottfried Bernhard, Maler (1708–74) 87

Graf, Hans, Blechzinner 39

Grammer, Willibald, Lederer 147f.

Gregor XII., Papst (1406–15) 46f.

Gropius, Walter, Bauhaus-Architekt (1883–1969) 145

Habbel, Joseph, Zeitungs- u. Buchverleger (1846–1916) 108f.

Habsburger, Herrschergeschl. 64, 78

Hagenbach, Franz, innerer Rat 69

Haymann
   – Fanny (1865–1942) 137
   – Karl (1857–1939) 137

Heeg, Frhr. v., Landesdirektionsrat 90

Hegner zu Moos u. Altenweiher, Montangeschl. 48

Helbling, Georg, Stadtpfarrer († 1553) 57

Hell, Caspar, Jesuitenrektor 76

Helmberger, Michael, Stadtpfarrer (1867–98, † 1900) 108f.

Henriette Adelaide, Gem Kf. Ferdinand Marias (1636–76) 75

Herbeville, Ludwig Gf. v., Heerführer (1635–1709) 79

Hermann
   – Leibarzt Kg. Ruprechts 45
   – Titular-Bf. 47

Herzelles v., Oberst 66

Hetzendörfer, Simon, Bgm. (1753–59) 114

Heuss, Theodor, Bundespräs. (1949–59) 135, 147

Hilbenz, Georg, Siemens-Werksleiter 144

Hiltner, Jakob Joseph, Kirchenverwalter 77

Hirsch, Peter, Bg., Bildhauer 87

Hitler, Adolf 130ff., 136

Hochgesang, Heinrich, Blaumaler 114

Hörmann, Johannes, Jesuitenfrater, Kunstschreiner (1651–99) 73f., 93

Holnstein
   – Franz Ludwig Gf. v., Statthalter d. Oberpfalz (1723–80) 87f.
   – Franz Xaver Gf. v., Stadtkommissär (1773–1834) 98
   – Josepha Maria, Gem. Ludwig Frhr. v. Egckers (1765–1826) 86
   – Maximilian Joseph Gf. v. (1760–1838) 86

Hubrich, Eugen, Heimatdichter u. NSDAP-Funktionär (1885–1963) 135

Hügel
   – Andreas, evang. Prädikant 57f., 143
   – Heinrich v., Architekt (1828–99) 115

Hus, Johannes, Reformator (um 1369–1415) 68

Ißner, Benno (1869–1943) 137

Jakob I., Kg. v. England (1603–25) u. seit 1567 als Jakob VI. Kg. v. Schottland 63

Jecks, Jude zu Amberg 27

Johann v. Fuchsstein, kurpfälz. Kanzler 62

Johann v. Helmstedt, Essenträger 52

Johann v. Neumarkt, Pfgf. (1383–1443) 45, 48

Johann I. v. Moosburg, Bf. v. Regensburg (1384–1409) 47

Johann Casimir, Pfgf., Administ. d. Kurpfalz (1583–92) 61

Johann Friedrich, Pfgf. (1569) 53

Johann Wilhelm, Kf. v. d. Pfalz (1690–1716) 81

Johannes v. Capestrano, Franziskaner, Wanderprediger, hl. († 1456) 56

Johannes v. Wünschelburg, Stadtpfarrprediger (um 1385–um 1456) 47

Joseph I., röm. Kg. (1690), K. (1705–11) 79f.

Joseph Ferdinand, Kurpz. v. Bayern (1692–99) 78

Jourdan, Jean-Baptiste, Marschall v. Frankreich (1762–1833) 88

Kannlpaldung, Hanns, Maler 46, 55

Kapfing-Lichtenegg, Ludwig Frhr. Egcker v., Regierungskanzler 86

Karl II., Kg. v. Spanien (1661–1700) 78f.

Karl VI., K. (1711–40) 84

Karl, Erzhzg. v. Österreich (1771–1847) 88

Karl Albrecht, Kf. v. Bayern (seit 1726), K. Karl VII. (1742–45) 84, 86

Karl Friedrich Ludwig Wilhelm Max Josef, kgl. Pz. (1800–03) 93

Karl Theodor, Kf. v. d. Pfalz (seit 1742), v. Bayern (1777–99) 86, 89, 91, 94, 112

Karoline Friederike Wilhelmine v. Baden, 2. Gem. Kg. Max I. v. Bayern (1776–1841) 93

Kastner
– Amberger Fam. 25, 36
– Gregor, Stifter d. reichen Almosens 26

Katharina v. Pommern-Stolp, Gem. Pfgf. Johanns v. Neumarkt (1384–1426) 45

Kezmann, Peter, evang. Pfarrer 58, 60

Klenau, Johann Gf. v., General (1758–1819) 96

Kick, Eduard, Unternehmer (1803–80) 114

Kirchmayer, Joseph Heinrich, Bildhauer (1772–1845) 111

Kirschbaum, Jakob (geb. 1878) 136

Klier, Johann Georg, Bgm. (1800–07) 99

Klug Dr., Eduard, Bgm. (1913–24), OB (1924–33, 1946) 122, 129, 133, 136, 141

Koch, Georg, Drucker u. Verleger 91

Kolb Dr., Artur, NSDAP-Kreisleiter (1895–1945) 132, 137f.

Konrad II., K. (1027–39) 12f.

Konrad IV., röm. Kg. (1237–54) 17

Konrad VII. v. Soest, Bf. v. Regensburg (1428–37) 47

Konrad v. Rosenberg, Viztum 44

Konstantin Nikolajewitsch, Fürst v. Russland (1827–92) 82

Kotz, Georg, Bgm. (1604–25) 69

Kubeng, Joachim, Schauspieler (1918–2010) 151

Kullmann Heinrich, Obering. 117

Lampert, Johann, Inhaber eines Konfektionsgeschäfts 148

Landes, Anton, Stuckateur (1712–64) 87

Leber, Georg, Bundesmin. (1966–78) 145

Leo, Martin, Franziskanerguardian 71

Leopold, Pz. v. Bayern, Generalfeldmarschall (1846–1930) 83

Liersch, Jakob, Kaufmann 155

Lobwasser, Ambrosius, Schriftsteller (1515–85) 68

Löwenthal, Felix Adam v., Chronist (1742–1816) 76, 85, 89f., 94, 97

Lorsch, Klara (* 1870) 137

Lotter, Michael, OB (1946–52) 141

Lotzbeck, Christoph, evangel. Pfarrer 101f.

Louise Juliane v. Nassau-Oranien, Gem. Kf. Friedrichs IV. (1576–1644) 53

Loyola, Ignatius v., Ordensgründer, hl. (1491–1556) 73

Luckinger Dr., Stadtgerichtsarzt 105

Ludendorff, Erich, General u. Politiker (1865–1937) 130

Ludwig II., d. Strenge, Hzg. v. Bayern (1253–94) 17, 43

Ludwig IV., d. Bayer, Hzg. (seit 1294), Kg. (seit 1314), K. (1328–47) 7, 16, 18ff., 36, 41f., 73

Ludwig IX., Hzg. v. Bayern-Landshut (1450–79) 51

Ludwig III., Kf. v. d. Pfalz (1410–36) 48, 50

Ludwig V., Kf. v. d. Pfalz (1508–44) 52, 58, 62

Ludwig VI., Kf. v. d. Pfalz (1576–83) 31, 52f., 59ff.

Ludwig, Pfgf. (1570–71) 53

Ludwig I., Kg. v. Bayern (1825–48) 93, 103f., 106f.

Ludwig v. Anhalt-Köthen (1586–1650) 52

Luitpold, Prinzreg. (1886–1912) 112

Luther Dr., Martin, Reformator (1483–1576) 57f., 60f., 68f., 71

Maier, Kaspar, Bgm. (1612–26) 66, 69

Margarete v. Bayern-Landshut, Gem. Kf. Philipps (1456–1501) 50f., 136

Maria Anna Sophia, Gem. Kf. Max III. Joseph (1724–80) 86

Maria Anna v. Löwenfeld, Gem. Franz Ludwigs Gf. v. Holnstein (1735–83) 86

Maria Antonia, Gem. Kf. Friedrich Christians v. Sachsen (1724–80) 86

Maria Theresia, Gem. K. Franz I. (1740–80) 84

Mathias v. Kemnath, Historiograph (um 1430–76) 49

Mathias v. Ramung, kurpfälz. Kanzler (seit 1461), Bf. v. Speyer (1464–78) 51

Mattes, Jakob, Sozialer Ausschuss 126

Maximilian I., Hg. v. Bayern (1597–1651), Kf. (1623) 65–73, 80

Max Emanuel, Kf. v. Bayern (1679–1726) 79f., 112

Max III. Joseph, Kf. v. Bayern (1745–77) 86

Max IV. Joseph, Kf. v. Bayern (seit 1799), Kg. Max I. Joseph (1806–25) 89, 93, 95f., 98, 110

Max II., Kg. v. Bayern (1848–64) 100, 104

Mayer, Josef, Bgm. (1771–92) 114

Melanchthon, Philipp, Reformator (1497–1560) 57f., 61

Merian, Matthäus, Kupferstecher u. Verleger (1593–1650) 68

Merz, Martin, Büchsenmeister Kf. Friedrichs I. (um 1440–1501) 50

Möhl, Arnold Ritter v., General (1867–1944) 79, 83, 123

Montez, Lola, Tänzerin (1821–61) 107

Montgelas, Maximilian Joseph Gf. v., Min. (1759–1838) 93f., 96

Mortaigne, Levin de, Oberst († 1626) 66

Moses ben Salomon v. Salerno 17

Mosse, Hochmeister aus Wien 27

Müller, Johann Adam, Maler († 1738) 73

Müntzer, Leonhard, Stadtkämmerer u. Poet (1538–88) 60f.

Napoleon I. Bonaparte (1769–1821) 95, 97

Neuhöfer, Siegfried (1899–1949) 136

Noe, Jude zu Amberg 27

Nothaft v. Wernberg, Adelsgeschl. 48

Oberndorfer, Martin, evang. Stadtpfarrprediger († 1591) 61

Oestreicher, jüd. Fam. 102

Olympius Dr., Gallus, Regimentsrat (1604–25) 66

Orban, Angela Viktoria v., Superiorin 85

Ottheinrich, Kf. v. d. Pfalz (1556–59) 58f.

Otto I., Bf. v. Bamberg, hl. (1102–39) 14

Otto I., Hzg. v. Bayern (1180–83) 16

Otto, Markgraf im Nordgau (um 995–1057) 12

Pacher, Leonhard, Bg., Schreiner 74

Peimbl, Georg, Bg., Baumeister 78

Pendit, Jude zu Amberg 27

Peucer, Caspar, Arzt (1525–1602) 59

Pfab, Hans, Flüchtlingskommissar 141

Pfäffinger, Georg, Großhändler u. Abgeordneter 102

Philipp, Kf. v. d. Pfalz (1476–1508) 32, 48–54, 136

Philipp IV., Kg. v. Spanien (1621–65) 78

Pielenhofer, Johann, Feuerwehr-Zugführer († 1945) 138

Platzer, Mathias, Bgm. (1800–07) 99

Plettenberg, Dieter Heinrich v., Vertreter a. d. Immerw. Reichstag 80

Podewils, Philipp Ludwig Frhr. v., Direktor d. Gewehrfabrik (1809–95) 102, 113

Pohl, Fedor, Verleger 108

Pollwein Dr., Max Josef, Rechtsrat (1914–19) 122, 124, 126f.

Pond, Leory Richard, Lt. Colonel 83

Poppo, Bf. v. Bamberg (1237–42) 17

Poßert, Salzbeamter 101

Pustet, Friedrich, Verleger (1798–1882) 109

Raselius, Andreas, Komponist (zw. 1561 u. 1563–1602) 150

Regler Dr., Sebastian, 2. Bgm. (1925–33, 1933–45, 1949–50) 133f., 139

Reich
– Amberger Fam. 25, 36
– Wolfhart, Bg. zu Amberg 55

Reimar v. Amberg 24

Reinecke Dr., Paul, Prähistoriker (1872–1958) 10

Reis, Ludwig, Soldatenrat (1881–1957) 127

Reitmeier, Johannes, Autor, Regisseur u. Intendant (* 1962) 159

Rezer, Joseph Friedrich, Bgm. (1840–50) 105, 107

Rock, Franz, Guardian d. Franziskanerklosters 57

Rudolf I., Hzg. v. Oberbayern (1294–1317, † 1319) 18ff., 40

Rudolf II., Kf. v. d. Pfalz (1329–53) 40

Rupert, Bf. v. Passau (1164/65) 16

Ruprecht I., Kf. v. d. Pfalz (1329–90) 18, 26, 36, 40f.

Ruprecht II., Kf. v. d. Pfalz (1390–98) 27, 44, 47

Ruprecht III., Kf. v. d. Pfalz (seit 1398), Kg. (1400–10) 27, 45–47

Ruprecht Pipan, Pfgf. (1375–97) 45

Rütz
– Amberger Fam. 36
– Linhart, Bg. v. Amberg 33f.

Sailer, Johann Michael, Theologe, Bf. v. Regensburg (1829–32) 103

Sales, Franz v., Ordensgründer, hl. (1567–1622) 75

Salmuth, Heinrich, Stadtsyndicus (1603–26) 66

Sara, Jüdin in Amberg 27

Saugel, Otto, kommissarischer OB (1933) 133

Schalling, Martin, Theologe, Kirchenlieddichter (1532–1608) 62

Schedl Dr., Otto, bayer. Wirtschaftsmin. (1957–70) 145

Schiller, Friedrich v., Dichter (1759–1805) 90

Schleiß v. Löwenfels Dr., Bernhard v., Medizinalrat 90

Schlessinger Dr., Wolf, Rabbiner in Sulzbach 102

Schlott, Joachim, Bg., Bildhauer 87

Schmidt, Josef Friedrich, Spieleerfinder (1871–1948) 125

Schoch, Johannes, Baumeister (1550–1631) 53

Schönwerth, Franz Xaver v., Volkskundler u. Sprachforscher (1810–86) 157

Schreiber, Ulrich, Bg. zu Regensburg 41

Schulz, Otto-Carl, Unternehmer (1880–1964) 113

Schwaiger, Hiob, Bg. zu Amberg 29

Schweicker v. Schauenburg, Weinträger 52

Schweiger, Georg, Bg. zu Amberg 60

Schweiger, Michael, Bgm. u. Chronist (um 1510–68) 24, 28ff., 33, 41, 48, 59f.

Secklmann, jüd. Fam. 102

Sedlmayer, Carl, Turner († 1901) 77, 119

Seemantel, Konrad, Pfarrer v. Amberg 23

Sing, Johann Kaspar, Maler (1651–1729) 74

Sonnleutner, Jakob Jeremias, Bgm. (1704–22) 80

Spaenle Dr., Ludwig, bayer. Kultus- u. Wissenschaftsmin. (sei 2013) 159

Spindler, Hieronymus, Faktor d. Zinnblechhandelsges. 40

Spreng, Carl Emil, Ing. (1824–64) 116

Stark, Gottlieb, Vorsitzender d. Amberger SPD 126

Staufer, Herrschergeschl. 17f.

Still, Valentin Stefan s. Bruder Barnabas

Strasser, Wolfgang, evang. Prädikant 58

Stromaier, Michael, Bg. zu Freising 54

Stüdlein, Ludwig, Ortsgruppenführer d. NSDAP 130f.

Süß, Engelbert, Bildhauer 50, 135

Sußmann, Hochmeister aus Regensburg 27

Tilly, Johann Tserclaes v., Heerführer d. Liga (1599–1632) 65

Train, Hermann v., Zeitungsverleger 108

Tundorffer, Heinrich, Bg. zu Regensburg 40

Unger, Gustav, christl. Gewerkschaftler 126

Urban VIII., Papst (1623–44) 70

Vinzenz v. Paul, Ordensgründer, hl. (1581–1660) 104f.

Walter, Johann Baptist Ritter v., Jurist u. Abgeordneter (1831–1900) 108

Ward, Mary, Ordensgründerin (1585–1645) 76

Wartenberg, Franz Wilhelm Gf. v., Bf. v. Regensburg, Kardinal (1649–61) 75

Weingärtner, Anton Samuel Joseph, Bgm. (1807–12, 1818–40), Kommunaladmin. (1812–18) 99

Weinschenk, jüd. Fam. 102

Weishaupt, Johann Adam, Gründer d. Illuminatenordens (1748–1830) 88

Wenzel, röm. Kg. (1378–1400) 45, 65

Werner, Johann Heinrich, Stadtdekan (1716–52) 104

Wiesinger, Simon Joseph, Regierungsarchivar 90

Wildenau, Maximilian Frhr. v. 97

Wilhelm II., K. (1888–1918) 83, 127

Wiltmaister, Johann Kaspar v., Chronist (1706–84) 75, 79, 81, 84ff., 97, 155

Windthorst Dr., Ludwig, Zentrumspolitiker (1812–91) 110

Winsheim, Valentin, Stiftshauptmann v. Tirschenreuth († 1592) 63

Wolf, Johann Kaspar, Regierungsadvokat 85

Wolfgang, Pfgf. (1494–1558) 52, 58

Wollentzhofer, Amberger Fam. 25

Zeller Dr., Karl, SA-Standartenführer (seit 1928), SA-Brigadeführer (seit 1933) 132f.

Ziegler, Alois, Kaufmann 148

Zimmermann
 – Johann Baptist, Stuckateur u. Maler (1680–1758) 73f.
 – Joseph Anton, Kupferstecher (1705–97) 88

Bildnachweis

Bayerisches Hauptstaatsarchiv, München: 19
Christiane Schmidt, OTH Amberg-Weiden: 158
Fotolia.de: 50 *(Otto Durst)*
Mathias Hensch: 10
Johannes Laschinger: 28, 74
Luftmuseum Amberg: 45 *(Marcus Rebmann)*
Staatsarchiv Bamberg: 13
Stadtarchiv Amberg: hintere Klappeninnenseite, 31, 32, 33, 34, 35, 38, 43, 46, 55, 63, 64, 68, 77, 82, 87, 106, 114, 116, 122, 123, 124, 129, 134, 136, 146, 149
Stadtmarketing Amberg e.V. / michael sommer fotografie: 154